文庫

歴史とは靴である

磯田道史

講談社

目次

歴史と人間

休憩中の会話

歴史の「現場」

一冊の本がさらなる対話を生む

本書は、鎌倉女学院高等学校にて、
2019年6月11日におこなわれた
特別授業の内容を元に再構成しました。

●

鎌倉女学院高等学校
神奈川県鎌倉市由比ガ浜2丁目10番4号

明治37年(1904)、
田辺新之助(東京開成中学校校長、漢詩人)によって創立。
また初代理事長は陸奥広吉(陸奥宗光長男)がつとめた。
〈真摯沈着〉〈尚絅〉を校訓に、
「宗教色をおびず、不偏中正の立場で、堅実な女子を養成」
「日進の新知識を授けたい」
という創立者の理想の下に開学された。
中高一貫校であり2022年2月1日現在、高等学校の生徒数484名。
〈知的で洗練された女性エリートの育成〉にむけ、
現在は古都鎌倉の中央にあるという絶好の教育環境を生かし、
中学では鎌倉を通して日本文化を学ぶ〈鎌倉学〉を、
それを基盤に、高校では世界を学ぶ〈国際・環境学〉という
学院独自のプログラムを展開している。

歴史と人間

植木鉢の破片じゃなくて

磯田　こんにちは。

生徒一同　こんにちは！

磯田　磯田道史と申します。

自己紹介がてら、子どものころの話からさせてください。

私の母親のほうは女子校の英語の先生で、その息子として岡山に生まれました。（「えー」の声あり）

学校の先生の子どもとして生まれたのですが、学校の先生の子どもだから学校にうまく溶けこめるのかといえばそうでもありませんでした（笑）。

学校にはいちおう行くのですが、まぁ、自分の興味のある勉強ばかりする子どもでした。なかんずく興味をもったのは歴史や理科で、そういう本は自分で読みますが、九九を覚えないとか、学校へは行きますが、あまりいい生徒でないものですから、家のまわりをぶらぶらして、お寺や石仏、お城や神社を見て歩いていました。

そんなことをしているうちに、ある近所に住むおじさんに出会います。夜間高校の先生だったと思います。

あまり学校になじめない男の子と夜間高校の先生が出会った。このおじさんがすごい人でした。

場所は田んぼの畦道（あぜみち）。いまでも忘れられません。

「磯田くん、そこの畦道を見たら植木鉢の破片のようなものがあるかもしれない。どうだい、あるだろう」というのです。

「あ、ある、ある、ある」

「拾ってみい。じっと見てみい」

「赤い。きれい」

「それ、植木鉢の破片じゃあなくて、二千年前の弥生（やよい）式の土器だよ」

そう言われて、びっくりしたのです。（「えーっ」の声あり）

だって家の近所でしょう。そんな古いものがほんとうに、あるのかと思いました。

さらに、私の家の庭の、家庭菜園しているところをじっと見ると、同じように弥生式の土器が落ちています。

そのとき、ぼくは九歳でした。小学校三年です。

小三の人間が——かけ算はなんとか習ったから二千年を九歳で割ってみるとどんな数字になるかわかります——、どうやら、人間の歴史というのは、ぼくの命よりもずっと長いものらしいと気がついたのです。

それと、私の通っていた小学校は、岡山にある御野(みの)小学校という学校だったのですが、巨大な古墳を削ってつくられていました。校舎よりも人間がモッコでつくった土盛りのほうが、山が高いのです。

それで、なんか感動したのです。自分はいま、大人に学校に閉じこめられているけれども、その学校より大きい永遠なるものが、歴史なるものがあると感じとったのかもしれません。

古いものに感動する気持ちが、こんなにある生きものは、人間の他にないような気がします。

空間や時間を飛び越せる動物

磯田　犬とか猫が、歴史を認識しているかといえば、人間のようではなく、むずかしいと思います。ただし本人、いや本犬（ホンケン）、本猫（ホンビョウ）か（笑）の経験はあるでしょうね。たとえば、ぼくがすごく悪い子で、犬の前を通るたびに石をぶつけようとしている悪ガキとしましょう。

その場合、犬はイソダミチフミとかいうやつが来たら、なにか悪いことされるかもしれんから、とりあえず逃げておこう……。こういう行動はできます。でも、これは個体の経験にもとづく行動であって、その個体一匹だけの体験と記憶にもとづく行動にすぎません。

兄弟犬がいたとして、兄犬が弟犬に、

「おい、弟よ。イソダミチフミってやつが通りかかったら、あいつは石をぶつけるかもしれないから、逃げたほうがいいよ」

そう言葉で伝えるでしょうか。ひょっとすると、それぐらいはあるかもしれません。しかし、ふつうの動物では、まあ、ないでしょう。

自分は全然体験していないのに磯田道史が通りかかるだけで逃げるなんていう行動をふつうはとれないでしょ？

しかも、この兄犬も弟犬も死んだ後に、

「イソダミチフミというやつがやってきたら石をぶつけることがあるから、わが子孫はイソダを見たら逃げるべし」

と犬が書き残していて（笑）、その影響を受けた行動をこの兄弟犬の孫犬たちがとれるか？ それはできませんね。

このように、多くは、個体の体験や記憶だけで行動するのが通常の動物であるのにたいして、人類は、他の個体が経験したものを、なんと空間や時間を飛び越して、人類共有の財産にして、次の行動が学習されていって、もうちょっとましに生きられる、もしくは愚かな考えをも伝えて、差別や偏見を後代に残したりしています。

これが「歴史をもつ」ということであり、その意味でぼくら現生人類＝ホモ・サピエンスとはきわめて不思議な生きものだということを歴史学習の前提にまず考えておいてください。

記号、シンボル、抽象化

磯田　人類はいつからこんな行動——ちょっとむずかしく言うと、記号やシンボルの操作、抽象化——ができるようになったのか。これについては、いまだに学問的にはっきりした答えが出ていません。

言葉はただの音声であり、空気の波にすぎません。文字は石や粘土板のひっかき傷だったり紙の上のシミだったりするにすぎません。そこになにかの意味があると理解するのはたいへんなことです。

聞こえてきた「イソダミチフミ」という音や紙の上のシミ「磯田道史」にたいして、これは石をぶつけるやつだというイメージが重なるのです。そういう脳神経になっていないといけません。いつからそうなったかといわれるとむずかしいのですが、いまのところ、五万年ぐらい前からじゃないかなとの説が有力です。

なんでわかるのでしょうか。

ぼくらが作ったものは、土に埋もれるとたいていは簡単に溶けてなくなってしまう。しかし、石器は長いあいだ、形が残る。

そうするとこんなものが見つかる。

石器を使ってモノを切ったり刻んだり刺したりするだけならば、別にどんな形だって全然かまわないわけです。

ところが、これ、わかります？　左右対称（シンメトリー）になっている。これでもか、というほど、こだわって時間をかけ、左右対称な石器を作りはじめます（次ページ板書参照）。

考古学者たちは——人類学者たちも——これを〝凝（こ）り〟と呼びます。見てください、両方が同じになるまで……。もう絶対に両方同じじゃないと気がすまない、石器作りに「凝る」オタク原始人がいたんですよ（笑）。

このころに生きるのはつらかったはずです。なぜかといえば寒いんです。なにせ、この鎌倉あたりが札幌ぐらいの気候でした。そのなかでこんなちっぽけな人類がナウマン象とかマンモスとかと戦うわけです。

そんな状況下で、石をサッと割っただけ、よく切れたらそれでいいはずなのに、どうしても美しい形にこだわる連中があらわれています。やっぱりこの時代あたりから、人類はなにやら不思議なことを考えているらしいことがわかるのです。

針とビーズ

磯田　それから針の出現です。

動物の骨を削って穴をあけ、糸を通す。こんな道具をつくるのは、やっぱりふつうの生きものではない。

針という道具を使えば糸が通せて、布が縫えて着る道具になる。寒さから身を守ることができます。つまり針とは「道具を作るための道具」です。道具のレベルでいえば、ワンステップ上がっています。

あともうひとつ、大量のビーズが出てきます。

さっきも言ったように原始人の生活はたいへんなのに、ビーズを作るのに熱中しているやつがいました。そんなヒマがあったらサッサと狩りに行きなさい、とはならなかったのです（笑）。

原始人の平均寿命はみなさんぐらい。十代です。アッというまに死にます。乳幼児の死亡が多いから、長生きした人がいても平均寿命がティーンエイジャーになってしまうのです。環境が苛酷ですから、長生きはできなかったのです。

人間がエッチなのは、きっと、そのせいです。とにかくたくさん子どもをつくっておかないと、次から次へと死んでしまいます。その期間が長かったから、その時代の本能行動が現代人にも伝わっているのでしょう。

だから、原始人のメスにしても、ちゃーんと、自分と自分の子どもを守ってくれるようなオスを探すわけです。なにせ人間は妊娠期間が十ヵ月近くあります。頼りになるオスを見つけられないメスは、寒い洞窟でオスが帰ってこなかったら子どもといっしょに、なかで凍えて死ぬしかない。だから、浮気をしない、健康なリーダーシップと生活力のありそうなオスを選ぶ。そういう行動をとったメスだけが子孫をたくさん残せたのでしょう。

それで、ビーズの話です（笑）。

原始人の洞窟からは、実用でないビーズが大量に出土します。なぜでしょうか。原始人のメスは頼りになるオスを見つけるのに必死です。同様にオスもメスに選んでもらうのに必死です。いまは、異性に愛を告白するときどうしますか。指輪など、しばしば象徴的なプレゼントをしますね。原始時代はどうだったのでしょう。ある者は現実的に肉をもっていったかもしれません。

しかし、原始人のなかにもシンボリックなもの、たとえば花をもっていって告白した者がいたかもしれません。あるいは、ビーズをもっていくとメスがすごく喜んだときがあったのかもしれません。メスが反応していなければ、こんなにたくさんのビーズは出土しないように思います。

肉をとらずに生存の危機に陥ってでもビーズを、こつこつ、つくっていた原始人もいたわけです（笑）。

オス原始人　きみのために、ぼくは肉が食べられなくても、ビーズを何万個もつくったんだ、どうぞ！

メス原始人　ステキ！

みたいなことがあったのかもしれません（笑）。

この男女、逆もあったかもしれません。大事なことはビーズのような食べものでもないたんなる嗜好のものに、これだけ必死になっていったらしいという点です。そこが人間、とくに現生人類とよばれるホモ・サピエンスは、明らかに他の生きものとちがうのです。

実験精神旺盛な磯田少年

磯田　このように、人間は、シンボリックなものに、生まれつき、興味のつよい生物です。そこで考えなくてはいけないのが、どうも人間だけが、本気になってしまうシンボリックなもの、つまりカミ（神）・クニ（国）・カネ（金）の「3Kシンボル」のことです。ぼくは小学生のころに学校を休むと、勝手に、いろんな実験をよくやっていました。

まずやったのが〝百点神社実験〟です。

百点が取れますようにという神社を、私の家にこしらえました（笑）。

それで一週間、ひたすら祈る。祈るだけで学校の成績が上がるかどうか、やってみました（笑）。

当然、落ちました（笑）。

その次の一週間は、神社をいっさい拝まず、勉強だけして試験を受けました。

あたりまえですが、そっちのほうがやっぱり成績はよくなりました。

神社関係の人は「しっかり勉強して神社も拝めばもっと成績は上がる」と言うかもしれませんが、とにかく、神だのみだけよりも勉強だけするほうが、効果があることは、わかりました（笑）。

ところが、百点神社をつくっていると、必ず犬が穴をほじくり返して神社を壊してしまうのです。「この罰当たりめっ」と、子どもながらに思った（笑）。ちゃんと人が祝詞（のりと）まであげているのに。

しかし、そのときにぼくは、はたと気づきました。

なるほど、「犬には神がないらしい」と（笑）。

犬には少なくとも人間が認識するような神はいないようです。それから犬と人間の違いを考えはじめました。

そして、第二実験をやってみました。犬にはおカネがわかるか――です。

まず一万円札を調達しました。

わが家ではタンスの奥に、お父さんの給料が隠されていました。それを借りてきて縁側に置きます。

そして、こんどは台所へ行き、冷蔵庫の鶏肉を持ち出しました。その三百円分くらいの鶏肉を十分の一に切って、三十円分くらいにしたものを、一万円札の載った同じお盆の上に置きました。

なにごとも対照実験が大事です（笑）。これで準備完了です。

肉のほうは、だいたい三十円分でした。一万円といえば三百倍以上です。ものすごい量の肉が買えるわけですよ。はたして犬にそれがわかるか。そういう実験をやってみました。

さて、うちではジュンとコンという犬を飼っておりました。メスがジュン、オスがコン。

「ジュン、こっちへおいで」

アッというまに肉のほうへダッシュしました（笑）。

そうかー、いや、でもジュンはバカだからそうしたんじゃないか（笑）。コンなら一万円のほうに行くかもしれない。

しかし、彼もやっぱり肉へとダッシュ。一万円札には興味を示しませんでした。

根気よく何回か実験を重ねているうちに、一回だけ一万円のほうへ行った。おお！コンだ。すごい、コンは一万円がわかるかもしれない――そう思ったら……ちがうんです。一万円札にぼくの手からうつった肉のにおいがついているだけだった（笑）。

なるほど。犬にはカネがわからない。そういうことがわかりました。

カミ・クニ・カネの「３Ｋ」

磯田 新聞の記事を見ると、よく神への信仰をめぐって宗教戦争が起きていたり、国のために死んでいくとか、おカネをもとに殺人事件が起きていたりします。

カミ（神）・クニ（国）・カネ（金）の「３Ｋ」は、犬・猫にはまったく通用しないのに、なぜか人間はそれをつくりだす。しかも、それに酔い、人殺しまですることがあります。

この「３Ｋ」は実体はありません。シンボルです。

他の生きものとちがって、シンボルに夢中になれる脳構造をもった者がそれを考えているうちに、いつしか人びとのつながりが変化し、世のなかは新しく進歩したり、不幸な大殺戮が起きたりしています。

ただ、月まで宇宙船で行けたのは、カミ・クニ・カネというシンボルの体系と、シンボルの数字の学を生み出した人間だけという事実もあります。

シンボルでいえば、「令和」と、このたび年号が変わりました。これについてはあとでお話ししようと思いますが、年号とはつまり「時間に名前をつけたもの」です。冷静に考えてみれば、これも面白い、抽象的な行為です。人類史上、すべての民族が歴史をつくったり、年号をつけたり、時間にたいして抽象の概念を当てはめていたわけではありません。たとえば、アイヌ民族は年号をつけたりしません。いっぽうメソポタミアやエジプトや、昔の中国や、いまの日本は時に年号という名前をつけて、王や国を特にありがたがっている人たちです。

ことわっておきますが、それぞれの文化には、べつに進んでいるとか遅れているとかはありません。四つの大きな河の流域などに抽象化に熱心だったり、シンボルにこだわったりする人びとが多くいて、そういう人たちが夢中になって文字や暦、年号をつくったり、神さまやその代理である王さまという存在をこしらえたり、お役人の組織や軍隊をつくったりしました。そして、そういうことに興味がない人たちを見て

「あいつらは遅れている」とか「彼らは野蛮である」と見下すようになりました。よくないことでした。

歴史も文字というシンボルで書き残されるため、「カミ・クニ・カネ」というシンボルにこだわる人びとのあいだで発達してきました。

そのせいで、歴史は、カミ・クニ・カネといったところから、完全に自由ではなく、常に偏見を含みます。そこは歴史を読むときに気をつけなくてはいけません。しかし、歴史には大きな効用もあります。最初に話は戻りますが、われわれは過去にあった他の個体の記憶や経験を記録し、レファレンスして、未来の役に立てられるのです。まずはこの点を押さえておいていただきたいのです。

ブタやトイレに歴史はあるか

磯田 さて、歴史とはなにか――。じつにむずかしい問いです。

学校では、歴史は暗記ものになりがちですね。しかし、ぼくはあんまり暗記ものだと思っていません。むしろ「なぜそうなったのか」を一所懸命に考えることが、ぼくにとっての歴史です。それについてお話ししましょう。

司馬遼太郎さんという人がいます。みなさんのお父さんお母さんならまず知っている、おそらく何作かは読んでいるだろう国民的歴史作家です。みなさんもご存じかもしれません。この司馬さんが若い人たちに向けて『二十一世紀に生きる君たちへ』という文章を書いています。そこでの「歴史とはなんですか」との問いへの答えは、乱暴に言ってしまうとこうです。

「歴史とは、いろんな人の人生の集合体である。こんな人生を送った人がいる。あんな人生を送った人もいる。それを集めた集合体が歴史になる」

みなさん、ちょっと歴史の教科書に出てくる人たちをもう一回、思い浮かべてほしいんです。武将とか出てきますね。総理大臣も出てきます。天皇も出てきます。

じゃあ「源頼朝はこんな生きかたをした」「足利義満の生涯はこうだった」というのを集めたら、それが自動的に歴史になるでしょうか。なるかもしれません。歴史のとらえかたは人それぞれですから、司馬さんの歴史の考えかたも間違いとはいえません。

ただ、ぼくは、歴史とは、単なる人生の集合体とばかりも言えない気がします。

だって、ぼくの曾祖父(ひいおじい)ちゃんも高祖父(ひいひいじい)ちゃんも歴史の教科書には出てこない。たいていの学校のクラスでは「自分の近い先祖が教科書に載っている」という生徒は少ないでしょう。司馬さんが歴史を人生の集合体といっても歴史はクニにかかわるような「偉人」「英雄」とされる人の人生しか拾っていないのが現実です。

はたして、偉人といわれる人たちのことだけが歴史でよいのでしょうか。

政治や戦争だけが歴史なのでしょうか。

勝った側から見たものが歴史なのでしょうか。

そもそも歴史は人間にしか存在しないのでしょうか。この点について、過去にはいろんな論争がありました。

その議論のなかで「ブタに歴史はあるか」というのがありました。

さあ、どうでしょう。

ぼくはブタにもりっぱな歴史があると思うのです。

ブタはイノシシが家畜化したものです。ではブタを飼いならした人は誰か。それはいつ、どこで始まったのか。どんな人がどんなときにブタを食べたのか。ブタの値段はいくらだったのか。

ブタそのものはともかく、人間とブタの関係を調べて書く、叙述する。すなわち歴史です。あるモノ、あるコトと人間の関係を追っていく歴史も必要です。

たとえば、ここ鎌倉だったら、人間と林の関係です。まわりの山の植生、竹林がどのぐらいまであったとか……偉人の人生だけではなく、そういうことも、歴史学の対象にしようという動きが二十世紀になって生まれて、今日、社会史とか環境史とよばれています。そうそう、重要なのは津波との関係です。ここも海が近いですね。

さっきこの学校に着いたとき、タクシーを降りるところでぼくは携帯電話をとり出し、「Google 先生に「鎌倉女学院の標高」と言って検索してみたんです。

答えは五・一メートルだそうです。揺れて、下に火事が起きていなければ、四階へ上がれば、標高一四メートルぐらいで、それなりの高さはあるようです。

そう考えると、命を守るという点では、関東大震災のときに鶴岡八幡宮の一ノ鳥居付近に達したという津波の高さを知っているのは大事ですね（鎌倉女学院は一ノ鳥居のすぐ近くに立地する。地震で鳥居は倒壊した）。

われわれは人間ですから、犬とはちがって、空間や時間を飛び越えて、また自分とは異質なものとの「関係」について考えることができます。武将だけが出てくる歴史ではなく、津波にもブタにも歴史があって、それはかなり役に立ちそうなことが、わかります。

トイレの歴史というのもあるでしょう。

水洗になったのはいつでしょうか。

逆に水洗にならなかったことに理由はあるのでしょうか。

紙でお尻を拭くようになったのはいつでしょうか。

その紙はどこでつくっていたのでしょうか……。

みなさんのなかで将来、建築デザイナーになりたい人はいませんか？　その場合、武将の歴史を知っているのと、世界中の人間が過去にどのようなトイレをもってきたかを知っているのとどっちが役に立つかといえば、トイレの歴史を学んだ人のほうが、いい家の設計ができるかもしれません。

歴史とは、その人にとっての過去のレファランス（参照）であって、べつに教科書や偉人・有名人の歴史にかぎったものではないのです。

いずれオールド・スタイルも変わる

磯田　では、どうして学校で教わる歴史には武将とか政治家ばかり出てくるのでしょうか？　歴史には、いろんな部門の歴史があり、古い時代には、政治とか外交とか戦争とか、そういう非日常なことが歴史の中心だと思われていました。「政治・外交史」といわれるものです。

要するにオールド・スタイルの歴史は、いわば首相官邸だとか外務省のやっていたことだけで、できあがっていました。日本の教科書はそういう国の政治や外交中心のオールド・スタイルで書いてあります。伝統的な歴史の書きかたを守っています。教科書がそうなので、授業やテストもそれにしたがっています。戦争が起きたとか条約が結ばれたとかの年を「ひたすら覚えて答える」のがいちおうのお約束です。しかし、いまの歴史学は、ブタやトイレだけではなく、より大きな「環境史」にまで拡がっています。

むかし、人間の活動範囲が小さいころは、その活動が自然に影響を与えることはそんなになかったのですが、いまや人間のやることが地球全体にまで影響を与えてしまいます。

たとえば全世界の人間が絶大な工業生産力でペットボトルのジュースやお茶を作って飲んで、容器をそこらにポイ捨てすれば、当然それはやがて海に流れ出たり、山中に埋もれたりしていくわけで、それが動植物に影響を与えてしまいます。

だから人間が環境にたいして与える影響と環境から受ける影響、この双方を歴史的にも勉強しなくてはいけなくなっています。われわれには一国単位の歴史ではなく、人類共通の課題を考える歴史が必要になってきているのです。

なぜ慶應に入りなおしたのか

磯田　つまり、現代社会では、扱う歴史の範囲が、だんだん移り変わり、広くなっています。「英雄偉人だけでなく、ふつうの人にだって歴史もある」というわけです。

ぼくが大学に入って夢中になったのは、そっちのほうでした。

突然ですが、大学に入ってもぼくには彼女ができませんでした。最終的に彼女が初めてできたのは三十六歳のときで、その人と結婚したのです。（「へーえ」の声あり）遅いでしょう。古文書ばっかり読んでいたからでしょうね（笑）。……よけいな話をしてしまって、すみません（笑）。そんなことでしたから気になる問題がありました。

――江戸時代の人は、最初の結婚を平均的にいえば何歳でしているか。

はたして、そんなことを調べて、江戸時代の初婚年齢を明らかにした人はいるのだろうか？　ふと、そう思ったのです。

するといました。

先日、お亡くなりになったのですが、慶應義塾大学の速水融（はやみあきら）という先生が、そんなことを研究していました。

速水先生の研究を知ったのは、大学一年のときでした。

そのとき、ぼくは京都府立大学というところにいました。

なにしろ歴史以外の学校の勉強があまり得意ではなかったので、日本じゅうの大学のなかで、歴史の配点がいちばん高い大学なら入れるかもしれない。それに、とにかく京都へ行けば遺跡といっしょに暮らせそうだと思いました。京都には府立大学というのがあるから、そこへいったん入ってみました。

入ってみたら、あたりまえですが図書館や研究室に歴史の本が置いてあります。本は大好きだから図書館の歴史の本は全部読んでしまった。もう読む本がありません。そうすると当然ほかの本が読みたくなります。京都大学の書庫に入れてほしいなと思うわけです。でも、紹介状がいるそうで貸し出しもしてもらえません。

そこで、世のなかには、制度ってものがあると、つくづく思い知りました。

そのころね、京都大学を卒業した先生は、卒業後も母校の本を借り出せていました。外へもって出てもよかったのです。ところが、京大に行かなかった人は赤の他人だから本を外にもち出すのは許されないわけです。

なんで十八〜十九のとき入試を受けなかった、あるいは入学しなかった（できなかった）ことが、あとあとまで響くのだろう。これは、まずいなぁ、と思いました。

もう、この大学の歴史書はぜんぶ読んじゃったし、もち出すべき本はないし、そうだ、速水先生のいる大学へ行こう、と思って、それからまた勉強を始めました。

さて、あらためて英語をどうやって勉強しようかと考えました。

ぼくは、入試のための勉強はできないたちです。そのくせ知りたいことがあったらいくらでも学ぶ。「そうだ、歴史について書かれた英語の本を読もう」と考えました。これはよかったですね。

英語の本といえばヴィア・ゴードン・チャイルドというオーストラリア生まれのイギリスの考古学者がいます。土に埋まったモノを中心に歴史を考えることを考古学といいます。この人の本が面白いので、原著で読んで、英語を勉強しました。歴史の本なら英語でも苦にならないので、どんどん読んでいるうちに英語がわかるようになりました。さあ、そうやって速水先生のいる大学に行くぞ、というので、先生の本も読んでいきました。速水先生は、江戸時代の平均結婚年齢に研究の焦点を当てて調べておられました。

その本には、東日本と西日本、また京や大坂が近いところとそうでないところでは、女の子の結婚年齢が全然ちがうということが書いてあったのです。

東北の女の子は早婚です。十代での結婚がけっこうある。それにたいして名古屋とか、西のほうへ行くと、二十四とかでの結婚が多いのです。

なぜでしょうか。ここが考えどころです。

東北における結婚とは労働力の供給で、大家族のなかに入って子を産み、みずからも働きます。

いっぽう、京や大坂の周辺、名古屋のような場所では、女子は「奉公」といって商家など他人の家に住みこみ働きに一回出て、そこで自分の結婚費用を貯めてから嫁いで行きました。

つまり働き口がいっぱいあるところ、ある程度豊かになったところでは、他人の家に住みこむので結婚年齢が遅くなり、一生涯に産む子どもの数にも影響が及ぶという研究がしてありました。こういう歴史の叙述は見たことがなかったので驚きました。

速水先生は日本に「歴史人口学」という新ジャンルを導入していました。これはおもしろい。自分も似たような分野を研究してみようと思って、ぼくは慶應義塾大学に入りなおしたんです。

歴史は実験できない

磯田　じつは、ここでひとつ問題があります。

歴史におけるＨｏｗとＷｈｙです。

歴史には「どのように」と「なぜそうなったか」という二つの問題意識が含まれています。

しかし、その前にまず、以下の問題を考えることにしましょう。

・どうして歴史を学ぶんですか？

・私たちはどうして勉強するんですか？

・そもそも歴史はどうして必要なんですか？

この問題については、ぼくもしばしば考えました。

この場合、こんな例を考えてみてはどうでしょうか。たとえば、ぼくが鎌倉女学院に教えに行って財布を落としたとしましょう。そのとき、どう考えるでしょうか。

・なんで落としちゃったんだ。

・どこに置き忘れちゃったのか。

・ポケットが浅かったのか。
・授業に夢中になりすぎたか。

要するに、落とした原因を突きとめて、もう二度と、そんなことが起きないように対策を考えますね。財布だったら、落ちないようにポケットにチャックをつける。そもそも、あんまりたくさんおカネをもって歩くまいと考える。

そういうふうに、人間は、なにかできごとが起きると、個人の体験でも次はもうちょっとましにするよう行動します。これが個人単位であればさっきの犬と同じで、体験です。これを、ひとつの地域とかひとつの国とか世界の単位で共有を試みると歴史になります。それを一定の基準として学校で教えようというのが、いま、みなさんが授業や試験で接している日本史であり世界史ではないでしょうか。

だから歴史とは、じつは役に立つもので、過去に起きた事例を引き当てて、そこから次は、もうちょっとましにやったほうがいいとする、ある程度の教訓性をもっていると思います。

ところが問題はこの教訓性の前提が、「前と似たようなことが起きる」ということにあって、完全に同じ現象がふたたび起きるわけではないので困るのです。「歴史はくりかえす」とはいいますが、昔とまったく同じことは二度と起きないのです。

たとえば、日本とアメリカはかつて戦争しました。

歴史学者は日米間にこういうことがあり、それにたいしてこうだったから戦争に突入したという説明はできます。アジア太平洋の広大な地域でこんなことがあり、最終的には日本じゅうが空襲にあい、二個の原子爆弾を落とされ、ソ連が満洲（現在の中国東北部）に攻めこんできた段階で日本は降伏したことについても、記録、史料を一所懸命に調べれば、いちおうの説明はできます。

つまり、Ｈｏｗ＝「どのように」についてはなんとかなります。どのように日本がメチャメチャになったかは、記録さえ残されていれば検証できます。

しかし、Ｗｈｙ＝「なぜ」についてはそうはいきません。

なにしろ歴史は実験ができません。

どうやったら戦争が避けられたのか。いちおうのことは言えます。しかし、同じことは起きません。東條英機（とうじょうひでき）のＤＮＡをどこかから手に入れて、クローン東條をつくって、もう一度実験するなんてことはできません。もう一回、連合艦隊を編制して真珠湾攻撃を実験するわけにもいきません。

これが理科の実験だったら、再現性があり、予測がつきます。ボールが下に落ちたら、教壇でおそらく一回跳ねて、あなたがたの側の床に落ちるでしょう。（ボールを教壇に落とすと、跳ねるが床には落ちず）あれ、落ちない！（笑）ボールは初期条件さえわかっていれば、動きの予想がつきます。しかし、これをペラペラの紙でやったら要素はもっと多く、複雑で予想がつきにくいものです。

再現性のいちばん高い現象は天体です。天体は軌道計算ができます。日食も月食も、日の出も日の入りも予報できます。しかし、歴史上の過去は直接に見ることもできないし、まったく同じことは起きません。

ただし、ある程度の法則性はある

磯田　天体、たとえば太陽は明日もだいたいこの辺からのぼると予測がつきますが、人間社会の現象は必ずしも同じふうにはなりません。

ところが、ある程度、前と似た現象が起きることは言えます。歴史現象は一回限り性があるにもかかわらず、似たことが法則的に起きやすい面もあります。いったい、どんなことでしょうか。ちょっと考えてみてください。

たとえば、こんなことです。

新しい技術が開発されて農耕が始まるとします。織物機械が発明されて、前はみんな手で織っていたのに機械で織れるようになる。あるいは、人工知能が発明されて、前はおうちの片づけはぜんぶ手でやっていたのに、あらゆるものが自動化されるという話でもよろしいのです。

さあ、この場合、貧富の差は小さくなるか、拡大するか、考えてみてください。みなさんは賢いから直感でわかりますね。過去の場合は、短期的には、新技術が社会にひろがると、たいていは貧富の差が広がっています。これが歴史の教訓です。

さらにこんな例もあるかもしれません。権力者が急にお金持ちになり、子どもを徹底して甘やかした場合どうなるか。豊臣秀吉（とよとみひでよし）と秀頼（ひでより）とか。世界じゅうでその事例を集めて比較してみましょう。成金の権力者が子どもを極度に甘やかすと、たいていは滅びやすくなります。秀吉は、おもちゃを中国から秀頼のために取り寄せ、「秀頼の言うことをきかない侍女は折檻(せっかん)する」と、おどしています。これもなんとなくわかりますね。

人間性とは、生きものとして似ているものですから、ある程度、似たようなことになるのです。

だから歴史とは、ある程度、反復性があります。実験で再現不可能ですが、歴史は参考程度にはなるそれなりの教訓を含むと見るべきです。

歴史とは靴である

磯田　ところで、歴史は、しばしば好き嫌いで論じられます。

ぼくもよく聞かれます。

「先生、歴史が好きですか?」

「先生、歴史上の好きな人物は?」

などと言われます。

「うちのお父さん、歴史が好きなんです。先生の本もよく読んでます」

とか言われることもあります。

好き嫌いで論じられるものは嗜好品です。酒やタバコと同じです。

はたして歴史学は、好きか嫌いかで選べるものでしょうか。

どうもちがう気がします。

歴史的にものを考えると、前より安全に世のなかが歩けます。歴史はむしろ実用品であって、靴に近いものではないか。ぼくはそんなふうに考えます。

われわれは未来を見ることは直接にはできません。しかし、たとえば（教壇上を後ずさりながら）後ろ向きに歩いていく。下は見えます。過去の経験で、ぼくは教壇の幅は二メートルか三メートル、短いところは一メートルないとわかっていますから、この辺まで来たら、そろそろ落ちるとわかる。つまり、過去を見ながら、ある程度、ここからここまでの距離で、もうそろそろ落ちるとわかります。これがじつは歴史の教訓性であり、歴史の有用性といっていいと思います。

だから、過去の関東大震災のときに、（鶴岡八幡宮の）一ノ鳥居の倒壊状況の写真も残っていれば、津波で鎌倉女学院のあたりがどのぐらいやられたかもわかっているわけです。もちろん前よりすごいのが来るかもしれません。しかし、ある程度は予測がつきます。

だからみなさん、この校内のあらゆるところに「地震がきたらこうしなさい」と貼ってあるでしょう。高いところにすぐ行きなさいと言っているわけです。

犬には無理です。地震の前から、犬や猫に、上へ上がれ！　と言っておいてもたぶん、言葉が通じないから、上がってくれません。

人間にはそれができます。ですから歴史とは、世間を歩く際に、足を保護してくれる靴といえます。

なにごとも歴史的な考えかたは大切になります。常日ごろから、時間と空間を飛び越えて、似たようなことはないかなと考えながら暮らすと成功パターンも知れ、危険が避けられ、成功しやすいのです。

そもそも、みなさんは志望校を決めるのに、赤本の合格体験記は読むでしょう。あれこそ歴史です。

歴史に学んで受験対策をしているのです。前に受験した人の体験を自分に活かす歴史的試みが、合格体験記を読むことです。

人それぞれが、自分の人生にしたがって情報を集めて、どうやっていくかを考えるというのは、けっこう大事なことです。

矛盾が大事

磯田　次に歴史の視点の問題について考えましょう。だれの視点からモノを見るか、ということです。その点、歴史とはメガネでもあります。

歴史には「客観性」の問題があって人によって同じものを見ても見かたにちがいが生じます。非常にむずかしい面があります。

たとえばここにペットボトルがあります。みなさんから見ると完全にペットボトルですが、こっち側（底のほう）からしか見てなかったら、ただの○（マル）にしか見えません。物事は全部そうです。情報が少ない段階では、あるいは見ようとしない人にとっては、はじめはなんだかわからない。ペットボトルだって、四方八方からながめれば、これは〝お～いお茶〟のボトルだとわかります。メーカーは伊藤園だなと（笑）。

すなわちいろんな視点から見れば、理解がだんだん深まっていきます。

またまた犬の話になりますが、たとえば、ぼくが友だちの家へ行って、番犬をしている犬にワオオオ！（犬の鳴き声をまねる）——と吠えられたとします。このとき、

——犬は人に吠えるものである。

という、ひとつの教訓、つまりは仮説（テーゼ）ができます。

ところが、友だちが玄関から出てきて、

「メッ、メッ！　この人、友だち」

と叱ったらキューンとおとなしくなったら、どうでしょう。

あら？　犬は人に必ずしも吠えるわけではない。そういう先ほどとは矛盾した情報を得た場合、次の仮説が成り立ちます。

——犬は、自分が主人だと思っている存在に危害を加えそうな者に吠える。

要するに情報が増えてくるにつれて、前とちがう、矛盾する状況が生じます。この矛盾が大事です。

ぼくには吠えた

←

主人が出てきて「この人は大丈夫なんだよ」と叱る

←

吠えなくなった

という一連の事態のなかに、前と矛盾した状況があるから次の段階に進めるわけです。これがいわゆる「弁証法」なんです。

自分の思いこみではなくて、自分が前に思っていたのと全然ちがう情報を大事にするというのが、じつは世のなかを生きていくうえで肝心です。

歴史学の場合もそうです。さっき言った「客観性」の問題です。

たとえば真珠湾攻撃だって、攻撃した日本の側と攻撃されたアメリカ市民の側では全然ちがうことを考えます。

史実、歴史の事実、このかたち（ペットボトル）があったとして、史実（ペットボトル）はひとつなんだけど、見る視点や見る人による解釈は人それぞれです。これは非常にむずかしい問題をわれわれに投げかけています。プロの歴史家にとってもむずかしいものです。

しばしば起きるのが日本と韓国のあいだの歴史認識の問題、摩擦、軋轢（あつれき）ですね。

これは植民地にしたほう（日本）と、されたほう（韓国）ですから、もう、なにを言っても平行線になりやすく、どっちの視点から見るかでまるでちがってきます。

日本国内には、こう言う人もいます。

「植民地支配がよくなかったと言うが、まだ後れていた朝鮮半島に農業用の用水路やダムをつくったり、お米が穫れるようにして近代化のためにいろいろやってあげた側面もあるではないか」

それを聞いた韓国の側が反論します。

「でも、日本国内でお米が足りないときは、そうやって増産したお米を日本に輸出したじゃないか。朝鮮人には雑穀を食べさせた」

さあ、どちらが正しい……ではないでしょう。

問題なのは、史実はひとつですが、どこを見るかで、ずいぶん違った話になります。

ここに重要な点があります。

自分に都合のいい史実だけを見ようとすると、見えるものが、とても少なくなってしまう点です。双方の利害、複数の視点で物事は見なくてはなりません。勉強でも学問でもここが急所です。そしてここから先がほんとうに大事です。自分にとって有利な情報も、有利でない情報も、両方しっかり見なくてはいけません。

ペットボトルでいうと、上からも見るし、横からも見るし、下からも見る行動が非常に重要です。これは、日韓関係のような国民国家間の問題にかぎりません。日本国内でも歴史観の地域対立はあります。たとえば、薩摩（さつま）や長州の人たちが語る幕末維新の歴史と、攻められて「賊軍」呼ばわりされた会津や東北の人たちから見た明治維新の歴史では、全然ちがうものになりがちです。

歴史とは、けっきょく、他者理解です。なるべく自分から離れて異時空を生きた人びとの了見をも理解しようとしたほうが、情報が多くなり、客観性が増し、歴史認識が深まります。

教科書は「平均値」にすぎない

磯田　いまの日本の教科書に書かれている歴史は、「日本人」という単位でいちおう書かれています。だから、教科書では、至らない点が出てきます。

（教壇を降りて生徒の教科書を手にとり）教科書を、お借りしますね。

ここに、律令国家とか、班田収授法といって口分田を農民に配ったと出てきます。この教科書は日本全国、鹿児島県でも北海道でも使われています。

さて、琉球（いまの沖縄県）で口分田を配ったでしょうか？

配っているはずがありません。あそこは別の王朝でした。日本はひとつの王朝があったわけではありません。明治初年まで琉球には琉球王朝があって、しかも年号は中国の年号を使っていました。これは中世、近世、近代、現代を通じて複雑な問題ですが事実なんです。

いまは沖縄は日本ですが、事実としては鹿児島県でさえ、長らく班田収授はやっていませんでした。

どうやっていたのでしょうか。

教科書には書かれていませんが、薩摩・大隅（いまの鹿児島県）は阿蘇や桜島の火山灰が降り積もっていて、そもそも水田も少なくお米もそんなに穫れませんでした。そこに住んでいた人たちは隼人と呼ばれていました。それで律令政府は隼人司という特別の役所をつくっていました。薩摩や大隅の男たちは屈強なので、彼らを都へ送って宮廷のガードマンとして働いてもらう、奉仕してもらうことにしたんです。そのとき隼人の人たちが舞を舞う楽曲のレパートリーのなかに、いまの「君が代」の「千代に八千代に」があったと言われています。

でも、鹿児島県の子は日本の検定教科書を読んで、「ああ、わが鹿児島県でも班田収授法をやっていたのか」と思いこむわけです。

ずっと下って太閤検地よりあとの時代にも、鹿児島県の特異な状況はつづきます。

ぼくは鹿児島県で検地帳を見たことがあります。まあ不思議な検地帳でした。

ふつう他の国の検地帳には田んぼの面積が書いてありますが、薩摩藩でつくられた江戸時代の土地調査簿は、柿の木が一本あるとか、漆の木が何本あるとか書いてあって、それに税がかけられていました。

そんなことは、ぼくの育った備前（いまの岡山県の一部）では、江戸時代にはやっていないので驚きました。柿の木を探し出して、それを帳面につけて税をとるなんていうシステムではありません。

そのうえ、兵農分離に一国一城令ですが、これも薩摩にはありません。薩摩では百近い麓とよばれる支城網が築かれていて、戦国時代と同じように武士が農村部にばらばらに住んでいました。そんな国が明治維新の原動力になるわけですが、教科書は日本のどこでも通用させるためにそんなことは記していません。鹿児島県用には書かれていないわけです。

（教科書を生徒に返しながら）つまり日本史の教科書とは、「標準的な日本人」になるための道具立てであり、日本という国の「平均値」で書かれているのです。

磯田家の「明治維新」

磯田　教科書が「平均値」であれば、特定の地域や家族には、また別の歴史があるはずです。たとえば明治維新になったからといっていちがいに、良くなった悪くなったとはいえません。

——そのときにみなさんのひいひいおじいさんは得したか損したか考えてみよう。なんてことは教科書に、書いてあるはずもないのです。

しかし、ぼくは、小さいころそれをよく考えました。ここで、歴史を考える単位を日本という国ではなく、自分の家族にしてみたら、どうなるかという話をしておきましょう。

明治維新のところで「幕府軍が鳥羽・伏見の戦いで敗れた」と書いてあるけれど、自分のひいひいおじいさんが、その日どうしていたか知りたくてしようがなかったのです。それで、祖母に探してもらうと、たまたま家に古文書がありました。一日単位で日記が書いてあるのです。これを解読すればわかりそうでした。（「へーえ」の声あり）

自分の家に、古文書があることは小学校のころに教えてもらっていました。実物を見せてもらったのが中学校のおわりのころで、高校一年のときに、おばあちゃんが「それ、部屋にもっていっていいから」と言うので、解読を始めました。その日から学校の勉強はやめることにしたんです（笑）。読めるようになるためには、学校の勉強などしている暇はないと思ったのです。

それから三ヵ月ぐらいすると、かなり読めるようになって、高校を卒業するときにはもう大学の先生と同じぐらい古文書を読めるようになっていました。読めるようになったから、もちろん学校の勉強に戻しました（笑）。

さて、どんなことがわかったか。

ぼくの先祖は、鳥羽・伏見の戦いの日には岡山にいました。そして、どうも幕府側が敗けたらしいとの情報が入ってきたようでした。

微妙だったのはそのころの岡山藩の立場です。当時の岡山の殿さまは池田茂政（いけだもちまさ）というのですが、この人は水戸の徳川家から岡山の殿さまの家に養子に入ったのであって、じつは将軍徳川慶喜（とくがわよしのぶ）の弟でした。

殿さまが朝敵になった慶喜さんの弟ではやっかいです。岡山藩としては、勝った側に味方をしないといけません。京都に兵隊を送って、いっしょに徳川幕府をやっつけに行くようにしようと、藩内で相談がまとまりました。

で、誰か行ってくれと言われたときに、百人ばかりの兵隊を率いて京都方面へ向かったのが、ぼくのひいひいおじいさんだったようです。（「えーっ」の声あり）

東へ向かい有根峠（うねとうげ）という峠を越えたところで、錦の御旗とすれちがいました。ぼくの家の古文書には書いてなかったけど、別の史料でそれがわかりました。

当時のお侍さんは軍事費用をかなり自分で出さなければなりませんでした。ところが、帰ってきたら、もうお侍さんの社会じゃなくなりはじめます。四民平等です。士族への年金もしばらくして打ち切られます。その後どんなに貧乏になっていったかも、自分の家の古文書を見ていてわかりました。それで、のちに、この問題意識から、金沢藩の武士の古文書を見つけて研究し、『武士の家計簿』（新潮新書）なんていう本を書くことになったわけです。

ぼくの家にはぼくの家の明治維新のときの歴史があります。みなさんそれぞれのおうちには、それぞれの「おうちの歴史」があったはずです。でも、多くの人は国単位の歴史を学校で教えこまれて、それが「正しい歴史」だと信じさせられているといってもよいのです。

さて、十分ぐらい休みましょうか。

とりあえずいったん休憩。

休憩中の会話

「これが好きだ」というものを、真剣に追いつづけられたら幸せです

生徒 それ、なんのネクタイですか？

磯田 あ、これ、さかなクンからもらったの（二一ページ写真参照）。先週ぼくといっしょに浜松でイベントをやって。

ぼく、さかなクンの友だちなんです。（生徒いっせいに「キャーハハハ！」）

生徒 絵柄がかわいい。

磯田 （さかなクンの口まねで）「やっぱりさかなクンは、田沢湖で「絶滅」したクニマスを、富士五湖の西湖（さいこ）で「再発見」してすごいと思います」

生徒　似てる！　似てる！

磯田　この前は、浜松はウナギの産地だから、ウナギの不思議について、さかなクンと二人で語るという企画だった。聴いてみたいでしょ（笑）。

最初にさかなクンと会ったとき、「キャラを作ってるのか」と思ったんだ。けどね、ほんとうに、さかなクンは素なんですよ。あのままの方です。

生徒　へーえ。

磯田　さかなクンも、好きなもの一筋で生きてきた人だからね。すごいよね。

みなさんも、魚でも歴史でもいいから、「これが好きだ」というものをもって、それを真剣に追いつづけられたら幸せです。

ということで、そろそろまた授業といきますか？

まさか、女子高で、さかなクンのものまねするとは思わなかった（笑）。

歴史の「現場」

ニセモノはなぜ生まれるか

磯田　歴史、過去を見るためには「史料」が必要です。これを見て歴史家などが解釈します。解釈されたものが、歴史叙述となります。

歴史家の解釈が入って、歴史叙述——歴史について書かれたもの——ができるわけです。さらに、歴史家でない人もこれを読みます。そして歴史についてなにか書いたり話したりします。

こういうかたちで、歴史学者が書いたものだけでなく、歴史小説とか歴史漫画とかも生まれてきます。それらを通して人びとは過去を見ているわけです。

ところが問題なのは、史料のなかには、いかにも怪しいものがあることです。

史料に事実だけが書いてあれば、べつに問題ないのですが、事実じゃないこともまま書いてあります。そもそも史料自体がニセモノで、捏造されている場合さえあるわけです。これを吟味しないといけない。

ウソの史実がどうして残るのでしょうか。たとえばこういう場合です。

ぼくが山梨県に史料調査に行くと、古いおうちからよく武田信玄(たけだしんげん)からもらったと称する「知行宛行状(ちぎょうあてがいじょう)」が出てきました。これは「あなたの家はこんなにすばらしい、手柄も立てた。だからこれだけの領地をあげるよ」と、武田信玄から領地をプレゼントされた証明書です。

全部がホンモノならいいのですが、ニセモノもけっこう混じっていました。どうしてそんなことが起きるのでしょうか。じつはニセモノが作られる理由が大切なのです。

ニセモノはニセモノとして、「どうしてそれができあがるか」という問題があります。それが明らかになれば、たとえその史料はニセモノでも、その時代を理解する手がかりになります。

話は幕末。横浜が開港されて外国の船がやってきました。

外国商人がほしがっていたのは生糸です。甲斐(かい)の国（山梨県）は生糸の産地で、それを知った農家はおカイコさんをたくさん飼って、繭を糸にして横浜にもっていって一所懸命売ろうとしました。

商売が当たれば、元々家柄がなくても超お金持ちになり、生糸長者が誕生します。

ところが、そういうおうちは、「成金」だとか「成り上がり者」だと陰口を叩かれることもあって、しばしば、悔しい思いをしました。

そんなところに、痩せ浪人と申しましょうか、貧乏だけど学問だけはある侍崩れみたいな人がフラリと屋敷にあらわれ、こう言います。

「ずいぶんなご繁盛ですな。さぞ由緒正しきお家柄なんでしょうな」

「いえいえ、そんなことはありません。たいした家じゃございません」

「ご謙遜を。とてもそうは見えません」

「そういえば、わが元祖は戦国の昔、武田信玄の下のナントカという武将に仕えていくさに行ったらしい、なんて話を聞いたことがございますな」

「ほう、なるほど。ときにご主人、これほどのお家だ。系図などご入り用ではないですかな」

「…………」

「それがし、○野×兵衛と申す者。系図やお家の由緒書きなど、お安くこしらえて進ぜようが」

「う～ん、いかほどで」

なんて会話があったかどうかはわかりませんが、幕末になったら、家にいわゆる「箔をつける」ためのニセの系図を売ったり、ニセの古文書をこしらえたりして稼ぐ人があらわれました。そういうニセ系図師のつくった古文書を、ぼくは山ほど見てきました。

かくして、武田信玄から領地をプレゼントされたとのニセ文書がつくられ、もっともらしい系図ができあがって、やがて、

「人には見せないのだけれど、あの家には武田信玄からもらった手紙があるらしい」

「そりゃすごい」

なんて噂になったりもします。

そのうち明治の時代になって、ニセモノをつくってもらった、くだんの成金さんに県会議員にでも出馬しようかとの話がもちあがる。すると、「あ、あの家は武田信玄から領地をもらった由緒正しい家だから」と、票が集まったりするわけです。

つまり、系図や文書はニセモノでも、それをつくらせた人の経済的背景や心理、できあがったニセモノにたいする周囲の反応はまさしくホンモノです。つまり、生糸輸出で新興の金持ちが生まれ、彼らにもその社会にも武士への憧れがあって、ニセモノ

をつくってでも社会的信用を得たいという時代背景があったことがわかります。

一次史料と二次史料

磯田　このように、歴史は、さまざまな過程で、事実でもないものが史料として混入してきます。見分けて吟味しないといけません。これを「史料批判」といいます。

これは歴史学にかぎりません。

あなたたちが読んでいる新聞だって、内容が全部ほんとうであるとはかぎりません。ある人が意図にもとづいて流すウソだってあるわけです。いまやアメリカの大統領がツイッターであれこれつぶやく時代です。ホンモノもウソも、いっぱい情報が世のなかにころがっています。みなさんはそこを歩いていくのです。

たとえば、芸能人がどこかの女優とつきあっているとする。それを打ち消すために別の情報をわざと芸能事務所が流すなんてこともある。それを講談社の週刊誌が書いてしまったりすると……（笑）。講談社も文藝春秋も新潮社も、記事にするときは悩むわけです。

マスコミだけではありません。もっと身近なことでもそうです。食品の衛生という問題だったら、みなさんだってたいへんに悩むはずでしょう？この食べものにはヘンな混ぜものがあるんじゃないか。添加物はほんとうに無害なのか。工場の生産管理はしっかりしているのか。つくっている会社、輸入している企業は「安全です」と言うでしょうし、それを信じきれない人は安全じゃなかった証拠を挙げてくるでしょう。だから、内容にたいする吟味がとても大事になってきます。

さて、「史料批判」には外的批判と内的批判の二つがあります。

史料の外的批判とは、そもそもその史料がホンモノであるかどうかを吟味することです。次にホンモノであっても内容がウソの場合があります。これも見きわめないといけません。書かれている内容に問題がないか、大丈夫であるかどうかを確かめます。これが内的批判です。

伝言ゲームというのがありますね。最初はエンピツと言っていたものが、何人かの口を経ているうちにボールペンになったり、あるいは赤ペンになっていたりします。古文書とかの史料でも同じことが起きます。なので、原則としては、その時代のその事件に直面した、本人やそのすぐ近くにいた者とかが書いた書状や文書を、いちおう確実性の高いものとして考え、優先する。これを一次史料と称します。

たとえば織田信長が自害させられた本能寺の変だったら、事件に参加した当の本人が天正十年（一五八二）六月二日に近い時点で書いた手紙の内容などが、真実に近いと、ひとまず考えてみます。

次に、一次史料を見たり聞いたりしてつくられるものがあります。これが二次史料です。一般論としては二次情報はあまり筋がよくないとされます。伝言ゲームになっていて、途中で話が変わっているかもしれないからです。

誰かが人からの伝聞を記す。それを見た人が「この本にこう書いてあった」といって——孫引きですね——どんどん伝言しているうちにはじめとは話が変わってきます。ほら、顔写真のコピーを何回もとっていったら顔が歪むでしょう？

ああ、そうだ、ぼく、自分の子どもには、こう説明しました。余談が多いねえ、この授業は（笑）。

子どもに、オスとメスってどうしてあるの？　と聞かれたとき、すぐにコピー機をもち出して、コピー機で何度も何度も同じものをとりつづけて、文字が歪んでくるのを見せたのです。同じ人間がオス・メスなく混じりあわせて、設計図を取り合うとかしなければ、ずっとやっていくと、ぐにゃぐにゃになって劣化していく。だから、二つのちがうものを混ぜて、設計図を取っていくという方法をしないと、生きものは滅んでしまいかねない。

じゃあ、なぜ性は二つなのか。それはわかりません。とりあえず二つです。ひょっとしたら広い宇宙には三つ以上の性をもっている星があるかもしれないけど、それはぼくにはわからない。なぜか二つである、と子どもに話したのです。

とにかくコピーのコピーはよくないのです。二次情報、三次情報、伝言ゲームになるとまずく、二次史料は原則として要注意なことがわかります。

「いまだから言える」ということ

磯田　と言った舌の根も乾かぬうちになんですが、はたして、ほんとうにそれでいいのでしょうか。一次史料がいちばん正しいという考えは、ほんとうにまちがいないでしょうか。

ちょっと考えてみてください。必ずしもそうではないでしょう。

世のなか、あとになってから、

「いまだから、ほんとうのことが言える」

ということだらけです。

しばしば、歴史学をちょっとかじった人が「一次史料だから正しい」と言いがちなのですが、ぼくは一次史料絶対主義には注意しないといけないと思うんですね。

「不都合な真実」ということがあります。

たとえば豊臣秀吉が権力の絶頂にいるときに、彼が無名だった、うだつのあがらなかった時代の話はしにくいのです。

「いまでこそあんなに威張っちゃいるが、むかしアイツは……」

なんて言ったら成敗されかねません。

じっさい、同時代の史料だけで追うと、織田信長に仕えてからの話ですが、秀吉が碁を打っている史料が出てきます。それは確かです。いっぽう、それまでの秀吉――日吉丸とか木下藤吉郎とかいいますが――について、確実性の高い史料は乏しいのです。だからといって秀吉は農民の子でないと、すべては打ち消せるでしょうか。

抑制的に秀吉の人生を語る歴史叙述はあるかもしれません。史料としては頭がよくて碁を打つ信長の家来として、都のあたりで突如として出てきたのが最初だから、それ以前の秀吉については、なにを言っても真実かどうかわからないという消極的な立場をとることもできますが、それでは歴史の真実に迫れてはいません。

さて、ここに『太閤素生記』という本があるんですね。「すじょうのき」と〝の〟を入れる場合もあります。

太閤とは前の関白を中国風に言ったものです。前の関白だったら誰でも「太閤」なんですが、ふつう「太閤さん」と言えば豊臣秀吉のことです。

ほかにも同じようなことはあって、「黄門」とは中納言を唐風に言ったものです。しかし、中納言は数々いても「黄門」と言えば、この国ではテレビの影響でもっぱら徳川光圀、水戸黄門です。

ちょっと脱線してしまいました。話を戻しましょう。

その昔、遠江の浜松の近くに引間城というお城がありました。その城主飯尾豊前守の娘にキサちゃんという子がいた。この豪族のお姫さまが小さいころ、無名時代の豊臣秀吉がお城にやってきたのを目撃しています。

さて、どんなようすだったか。

「引間の宿に〝異形なる面相〟の少年がやってきた。彼は、最初は針を行商していた……。きたない恰好で、顔が猿に似ているので、栗を投げ与えたら、猿のものまねをして栗を食べたので、すっかりみなに気に入られた。体を洗って古い小袖と袴を着せてみたら、そこそこ見られるようになったので、松下という豪族に召し抱えられた」

と書いてある（笑）。

キサちゃんは八十歳ぐらいまで長生きしたらしい。つまり、大坂の陣で豊臣氏が滅亡した後まで生き残った。だから、こんなことが正直に言えたのです。

この『太閤素生記』のなかには秀吉の前半生についての情報がいろいろ記述されています。尾張中村の生まれであるとか、ひどく貧しい農民だったとか、お母さんが再婚した男と折り合いが悪かったので、「父の遺産永楽銭一貫文」の一部をもらい、尾張清洲で木綿着を作って、針を仕入れて行商しながら東のほうに向かっただとか記されています。

しかし、『太閤素生記』は一次史料ではありません。キサちゃん本人が書いているわけでも、同時代に記したものでもありません。最晩年のキサちゃんの語ったことを、孫が聞いて記録したものです。

だけど、ぼくはこの史料の確実性は高いと感じます。

なぜかといえば、この内容を話した人が誰かがはっきりしており、なぜ、そんなことを知りえたかも不自然ではなく、筋が通っているからです。もし自分がキサさんだったら、豊臣政権が崩壊するまではほんとうのことは口にすることができるはずもないのです。

いまだから言えるということは、たしかにありますから、歴史は、少し時代の経った回想録なども史料として大切なことがわかります。

すべてが史料になりうる

磯田　ここで史料について、もう少し突っこんでお話ししておきます。

史料という言葉を聞いて、まずみなさんが思い浮かべるのは紙でしょう。古文書や古記録です。

古文書と古記録はどうちがうかご存じでしょうか？

日記は古記録です。古記録は日記や覚書など、基本的に、具体的に伝えるべき相手が想定されていないものをいいます。

いっぽう、発信者と受け取り手がいるものを古文書とよびます。しかし、広い意味では、古文書と古記録を合わせて古文書と称します。いつから古文書というかといえば、だいたい江戸時代以前に書かれた紙の史料を古文書とよんでいます。

でもね、史料はそれだけじゃないでしょう？　たとえば文字がない社会について調べようとすると、考古学的な遺物が頼りです。

考古学の遺物が史料としていかに雄弁かという話をしましょう。

縁起でもない話ですけど、たとえばここを大津波が襲う、あるいは富士山が大噴火して、ぼくらが一瞬にして全員埋まっちゃったとしましょう。さあ、一千年後に掘り出された。そしたらサ、どんなことがわかるか。

まぁ、日本の土壌だと酸性が強いのでだいたい五百年とか七百年くらいで骨は溶けます。しかし、そこの鎌倉材木座の遺跡で中世の人骨が出ているように、このあたりなら埋まっても残るかもしれません。

なにか壇のようなものが前にひとつあって、そこに推定四十代後半の男性と思われる遺体が倒れている。ぼくのことです（笑）。ひとりだけ男で、あと何十体か推定十代後半の女性の骨がある。

ここからなにが読み取れるでしょうか？

人骨にともなって（共伴して）、遺物として携帯電話があった。これは年代確定のためにきわめて有力なものとなるでしょう。ケータイはモデルチェンジが速い。ぼくのは買い換えたばかりで二〇一九年春モデルです。

おそらく数ヵ月で考古学者たちは、科学分析をしなくても突きとめるはずです。これがサビだらけになってても、このケータイは二〇一九年春のモデルである、と。したがってこの災害は二〇一九年春に発生したものと見て、ほぼまちがいないと、結論づけるはずです。遺物のモデルチェンジのようすから年代を知る手法を「型式編年」といい、考古学の有力な武器となっています。

次に、考古学者は、こんなことも考えるでしょう。ひとりだけが壇のようなものの上に立っていたと見られる。脇にパソコンと考えられるものが置いてあって、ここへ投影するレンズがあるから、ここになにか情報を投影して、まだ若い人たちになにか教えていた姿ではないか。うしろの席の人骨は成人でカメラをもって撮影していたようだから、これは研究授業のようなものではないかなどと、推定するはずです。

つまり、位置関係がわかるから、こういうことが読み取れる。これが考古学なんです。遺物というものを史料にして、モノとモノとの位置関係から、目に見えていないインビジブルな、生徒さんとぼくのあいだの人間関係とか、社会関係を復元できるのが、考古学史料のすごいところです。遺物を史料にするわけです。

もっとすごいのは、絵画史料です。たとえば、いま、ぼくの写真をパシャッと撮ったとします。その写真を分析したら、磯田道史のネクタイが、〝さかなクンの絵の非売品〟だと判明したとする。

つまり、磯田道史さんはさかなクンと友だちで、ネクタイをもらう関係だった可能性まで推測されるわけです。このように絵は文字ほどに物を言うもので、絵画史料の威力は絶大です。絵も写真も史料になるのです。

近代になると、録音テープもあります。いま、そこで速記者の方が頑張ってくださっていますけど、録音テープは重要な史料です。さらに現代では映像記録もあり、じつに有力な史料です。史料はべつに古文書だけではないのです。近現代になると歴史の生き証人がいますからインタビューをして新しく史料をつくることもできます。

たとえば百年後、コンビニの防犯カメラの映像を手に入れたとして、それをもとになんらかの歴史叙述をすることも可能でしょう。

百年前のコンビニの防犯カメラの映像二十四時間分が倉庫の片隅からひょこっと出てきた。映像として再生可能になったとすると、これを史料としてどんな歴史研究が可能になるか、考えてみてください。

たとえば、映っている客の制服から、鎌倉女学院の近くのコンビニの映像と判断されたとします。そして、ハーゲンダッツ（のアイスクリーム）を買う確率は何パーセントとか、じゃがりこのほうが多いとかわかるかもしれない（笑）。

鎌女（かまじょ）は髪を染めた子が他校に比べて少ない、というようなこともわかります。これにより、おそらく校則が厳しかったであろうとか、わかるかもしれません（笑）。これに比して○○高校の校則はゆるかったのではないかとか、直接的には目に見えない学校の校風や経営方針なども分析することによって見えてくるでしょう。

さすがにコンタクトレンズ率はわかりませんが、メガネ率はわかりますね。もっているカバンもわかるでしょうし、なにより消費行動がわかります。当時はレジの脇では肉まんやおでん、チキンが売られていたらしい。どうやらまだタバコも売られていたようだ……。

かくのごとく、コンビニの防犯カメラでさえ、社会史とか文化史とか食品史とか、そういう点では史料になるのです。後世に記録を残すのは、大事なことです。いろんなことがわかります。

文字をもつ人、もたない人

磯田 けれども、史料には限界もあります。

そもそも古文書……これがよくないのです（笑）。ぼくが歴史学でいちばんイヤだと思うのは、証拠や史料に残っているものだけで世のなかができていると考えがちなことです。

どういうことか、ちょっとお話ししてみましょう。

たとえば、みなさんの日記が残っていたとする。あるいは、政治家の日記でもいいです。ぼくら歴史学者は政治家の日記を見て、この人には過去にこういうことがあったと論文を書きます。だけど、考えてみていただきたいのです。文字に残されることは限られています。

きょう鎌倉女学院の合格発表があった。これはたぶん書かれます。日記史料として残ります。

きょう、とある若い男の子に告白された。これも残るでしょう。いや、あえて書かない人もいるかもしれない（笑）。親や兄弟、人に知られて困ることは日記史料に記されず、後世に残らず、なかったことにされてしまいます。大事なことは書かれないこともある。

結婚した。これは書くでしょう。結婚式に参列した。これも記されます。公のことで秘密にする必要がないものは、書かれやすいので。

しかし、きょう三回トイレに行った。これは書かないでしょう（笑）。きょうペットボトルの水を五口飲んだ。これも書かないでしょう。

要するに、結婚など、公然にできる非日常なできごとは記録されやすい。いっぽう、あまりにも日常のできごと、トイレに行くとか、水を飲むとかいう本人にとって、ささいなできごとは記録されないのです。

だから、非日常なことばかりを記録した史料で歴史を書くと、非日常なことばかりの歴史になってしまい、日常的な歴史はわからなくなります。

文字をもつ人は記録されるが、文字をもたない人は記録されないということでもあります。こういう問題が歴史学の宿命としてあるのです。

この事情に、新しい歴史学はだんだん気がついていくわけです。

古い時代、文字をどのぐらいの人たちが読むことができたか。お見せしておきます。これは、カルロ・M・チポラというイタリアの経済史学者の研究に拠ります。

一八五〇年段階のヨーロッパ各国の識字率です。字が読めた人の割合です。

スウェーデン……………九〇パーセント
プロイセン………………八〇パーセント
スコットランド…………八〇パーセント
イングランド……………六五〜七〇パーセント

フランス……………………五五～六〇パーセント
オーストリア・ハンガリー……五五～六〇パーセント
ベルギー……………………五〇～五五パーセント
イタリア……………………二〇～二五パーセント
スペイン……………………二五パーセント
帝政ロシア…………………五～一〇パーセント

プロイセンはドイツの北東部、スコットランドとイングランドはウェールズや北アイルランドとともに連合王国（英国）を構成する国です。

見てのとおり、すごい差があるでしょう。世界人類のなかで北西ヨーロッパだけがずば抜けて識字率が高かったのです。だから彼らの国々は先に近代化しました。自分たちは、ほぼ言語を同じくする人びと、民族などでかたまって、国民国家を作り、近代化できない人たちの地域を植民地にしてしまったのです。

ヨーロッパは北へ行くほど、プロテスタントが多いこともあって、字が読めました。プロテスタントは教会を通じてではなく、自身で聖書を読んで神とつながる傾向がつよかったからです。また、ヨーロッパは東へ行くほど字が読めなかったのです。農奴制といって、作男の奴隷が東へ行くほど多くいて、学校へ行って文字を学ぶことができていなかったからです。

ではわが日本はどのぐらいの識字率だったのでしょうか。

一八九〇年だから、明治二十三年の字の読めない率（地域差）を調べました。近年では、リチャード・ルビンジャーというアメリカの教育史学者が、日本の識字率を調べています。やはり地域によってちがいがあります。

明治のなかばになっても、まだ女の子たちのほとんどが字の読めない地域が存在しました。たとえば、鹿児島県（薩摩）の女性は明治二十年代になっても五パーセントしか字が読めなかったことがわかりました。

いっぽう、滋賀県（近江）の男性は九〇パーセントが字が読めました。滋賀県男性の九〇パーセントはおそらく幕末段階から字が読めたと思われますが、鹿児島県の女性の九五パーセントは字が読めない状態で明治の二十年代まで至る。

そうすると、真んなかのあたりはどこでしょう？　全国平均の成人識字率は、おそらく男女を合わせたら四〇パーセントになるでしょう。幕末における日本の識字率は、ヨーロッパと比べれば、イタリアの上、ベルギーの下ぐらいになるでしょう。

帝政ロシアのような社会だと、そもそも字の読み書きができる人の比率が一割以下ですから、王族とか貴族とか政治家とかは記録を残すけれども、一般の人は記録を残せないわけです。

すると、どうなるでしょうか。税金や権利にかかわるものに関しては残りやすいが、そうじゃないものは残らないのです。たとえば、一般人は何を考えていたかはわかりにくくなります。

でも、文字をもたない人をつかまえていく学問はあります。文化人類学とか民俗学と言われる分野です。文字のない人たちの話を聞こうと思ったら、いま、生存しているその人たちの子孫にインタビューをしたり、彼らの過去のしぐさとか、行動とか、言い伝えとかを観察することで接近していくしかありません。これが民俗学や人類学のやっている方法です。

ぼくも興味はあるのですが、時間がなくて、民俗学までは、なかなか手がまわりません。これは無文字社会の人びとを理解する大切な学問です。みなさんのなかでその方向を志してくれる人がいたら、うれしく思います。

「日本」は着ぐるみがつくった?

磯田　あらら、少し眠くなってきたでしょうか。暑いですから。

では、この辺でひとつ、おもしろいことをやってみましょう。歴史はこんな叙述も可能だとお見せしましょう。

題して「日本着ぐるみ史」。

歴史にはいろんな切り口があります。きょうは、日本人はどう「着ぐるみ」と付き合ってきたかという観点で日本史のミニ授業をここから十五分してみましょう。

ここ数年、ゆるキャラや着ぐるみが日本じゅうでブームです。各地のゆるキャラがしのぎを削っていて「ゆるキャラグランプリ」というのもあります。ぼくも浜松市の町おこしを手伝って、マスコット「出世大名　家康くん」を一位にするキャンペーンに参加したことがあります(笑)。

それはさておき、これ(図版①)がお面としては日本で最初のものです。

その前に、着ぐるみと面の違いの定義が必要です。とりあえず、頭の後ろまで覆う段階を着ぐるみ、顔だけを覆うならば面としましょう。ゆえにこれは面です。イタボガキの貝殻に目と口の穴をあけただけのものです。縄文中期だから、いまから六千～七千年ぐらい前の、熊本で見つかったものです。

この次に、土でつくった、より高度な土面があらわれます。最古の土面も六千年ぐらい前、徳島県から出土しています（図版②）。こんなのをつけて、お祭りかなにかで使ったのでしょう。だんだん人間風に造形がはっきりしてきます。

さらに縄文時代の紀元前三千年か二千年ぐらいになってくると、かなり写実的なも

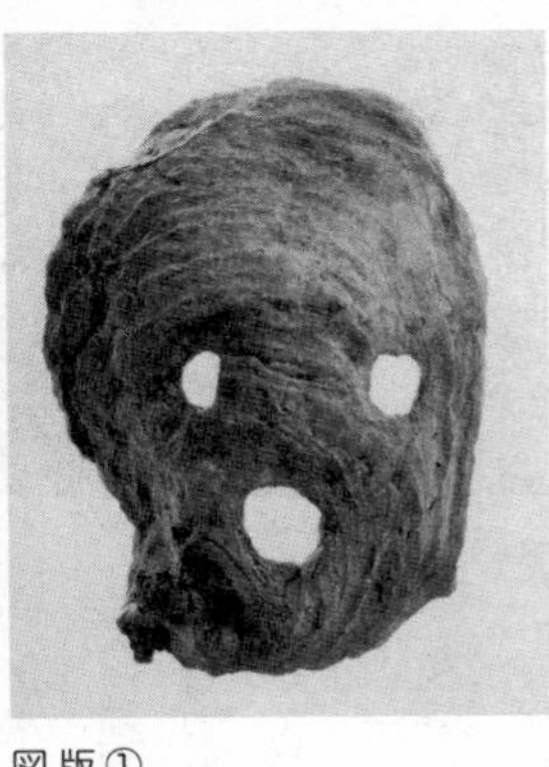

図版①

図版②

図版④

図版③

のがあらわれます。

縄文晩期になると、人間の顔を粘土でつくって、口や目のところに穴をあけて、鼻の造形や眉毛をしっかりつけて焼成したものもあらわれてきます（図版③）。

そして、弥生時代になって、決定的な日本初の着ぐるみが出土します。

岡山県の総社（そうじゃ）市の上原（かんばら）遺跡からフルヘッドで後ろまで覆う人面土製品が出土しました（図版④）。

これ、いったいなんでしょう？

おそらくニワトリです。（「えーっ！」の声あり）

『古事記』あるいは『万葉集』を読むと、古代人は、ひとの魂は鳥になって山へ還っていくと考えていたらしい。ニワトリも大事にされました。夜の闇を朝、コケコッコーといってつんざきます。魔を祓う、闇を祓うわけです。鳥居といいますが、ほんとうに鳥を飼っていました。神さまがいるとされる結界の前で。（ニワトリの鳴きまね）コケコッコー！　と鳴くこの生物を神のお使いと考えていたのです。

そして、この史料がおもしろい。

奈良盆地の真ん中にある唐古・鍵遺跡の南に隣接する清水風遺跡から変わった土器が出ました。邪馬台国のお宮の跡があったとされる纒向遺跡のすぐ近くで、大和朝廷が生まれたとされる有力な候補地でもあります。近くには卑弥呼の墓ともいわれる箸墓古墳や、実在が確実視される古代の大王である崇神天皇（第十代）の陵とされる古墳もあります。

この集落はやっぱり象徴性が強いんでしょう、大量に出土した絵画土器と呼ばれるもののなかに、どう見ても鳥の恰好をした着ぐるみで祭祀をおこなうシャーマンの姿が描かれていたのです（次ページ図版⑤）。

シャーマンとは、祭祀をつかさどる人びとです。卑弥呼も女王というより偉大なシャーマンだったのでしょう。弥生のころのシャーマンたちは、みんなを惹きつけるようなお祭りを演出したのだと、ぼくは思っています。

おそらく、巫女さんに鳥の着ぐるみを着せて、魂が山に還って行ったり戻ってきた

図版⑤

図版⑥

りするありさまを「見える化」する祭りをやっていたのでしょう（図版⑥）。

そうすると着ぐるみの祭祀が重視される状態が弥生時代の終わりごろにあって、そこから古墳時代の初めに強い王権が生まれたとも考えられます。それがいまの皇室に血縁的につながっているかどうかはわかりませんが、極端なことを言えば「日本とは、着ぐるみがつくった国なのかもしれない」。こう想像するのも楽しい話です（笑）。

練供養からくまモンまで

磯田　それからしばらく経つと、こんどは大陸から伎楽面が入ってきます。

奈良時代、聖武天皇の時代とかになると、漆を塗り重ねた乾漆製などの面が出てきて、正倉院に伝わっています。

この辺から一気に、仏さま、お経の世界の「見える化」がなされ、千年前、源信（恵心僧都）という人があらわれて、練供養ということを始めました。これは要するに仏さまの着ぐるみパレード。比叡山で始まったものがのちに、各地にひろがりました。とりわけ源信の故郷、奈良県の当麻寺でおこなわれるものが有名です（図版⑦）。

図版⑦

平安時代は識字率がまた低く、ふつうの人はお経が読めません、聞いても意味がわからないのです。だいいち紙は、ものすごく貴重でしたから、白い紙を一生見ない人たちもいました。

そこで源信はお芝居を考えたのです。観音さまたちが西方浄土から救いにきて、阿弥陀さまのところに連れていってくれる教えを説くなら、着ぐるみ劇にしてそのようすを見せたらいい。これがいちばんわかりやすい。「百聞は一見に如かず」だと思ったのでしょう。源信がこんなことをやろうとしたのには理由があります。

じつは母親に、こんな歌を詠まれてしまったのです。

後の世を渡す橋とぞ思ひしに
　世渡る僧となるぞ悲しき

「世の人びとを極楽に渡す橋になると思って育てたのに、おまえはお坊さんを世渡りの手段にしている。それが悲しいよ」と母は息子にいったのです。

みなさん、どんな職業に就いた場合でも少しだけ考えてほしいのです。生活のために職業に就く。これは悪いことではありません。ぼくも学者を生活の一助にしています。

しかし、生活や自分のためだけだとやっぱり味気ないでしょう。なにかその仕事をして世のなかがいいようになるか、みんなよくなるようなことを考えながら仕事をするのは、やりがいの面からも大事です。そして、みんなが「よく」なるの、「よく」

とはなにが基準なのかは、いつも考え、一生かけて学びつづけるものだと思います。

その次は能面が登場します（図版⑧）。能面の裏側、見たことないでしょう。能面の裏側はこういう構造になっています。能は中世の芸能で、室町時代に原型ができあがりました。

次は狂言になります。能のあいまに上演された喜劇です。狂言は茂山（しげやま）家や野村家でもそうですが、最初、子役のときに猿の面をつけ、着ぐるみを着て「うつぼの猿」を演じることから始めます（次ページ図版⑨）。猿の着ぐるみを着てキャキャキャキャキャーとかやるわけです。狂言の家に生まれた子どもは、誰でもそうです。そんなことをします。そして大学生ぐらいになると「釣狐（つりぎつね）」を演じます。これも全身着ぐるみです。着ぐるみのなかで悲しい気持ちを出せるように演じるというのが狂言師のいわば卒業論文になっています（次ページ図版⑩）。もちろん、その後もずっと芸道修行は続きます。

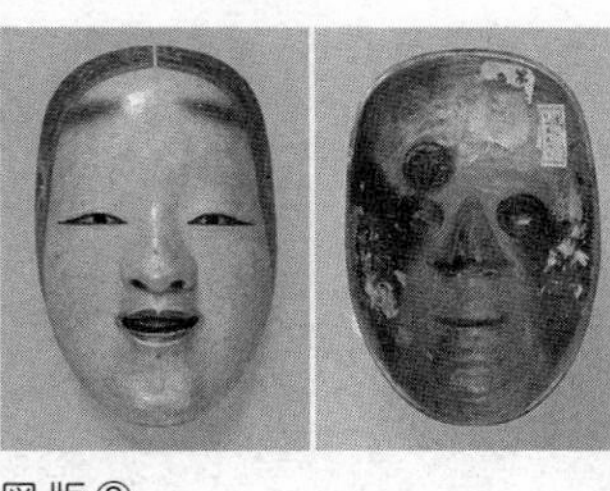
図版⑧

こう考えてみると、日本の着ぐるみ文化とは、やはり古く、根が深いのです。

図版⑨

図版⑩

図版⑪

そして、江戸時代には、歌舞伎が流行しますが、歌舞伎にも着ぐるみが登場します。これは、歌舞伎の鼠です。「伽羅先代萩」床下の場。仁木弾正が妖術でドロンと鼠に化けますが、忠臣・荒獅子男之助に鉄扇で打ち据えられます（図版⑪）。このお話は仙台伊達家六十二万石のお家騒動が下敷きになったものです。

江戸期になると、歌舞伎のような舞台役者だけでなく、素人も着ぐるみを着ました。これはお祭りの図です。広重描く「東都名所　高輪廿六夜待遊興之図」の部分です。タコの着ぐるみを着た男がいます（図版⑫）。江戸時代には、ここまでの着ぐるみが存在したのです。江戸時代はホントにおもしろいですね。

これを見てわかるとおり、江戸文化――いや文明――のすばらしさは「遊ぶ文明」としての豊かさにあるのです。これがひょっとしたら人工知能の時代の日本の底力になるのではと、ぼくは思っています。また、着ぐるみをやる主体が、シャーマン↓天皇保護の寺院↓芸能者↓素人も、というふうに移り変わってきたことがわかります。

図版⑫

図版⑬

王権や宗教的なものが文化を担う時代から、世俗の専門家や、さらに江戸期には庶民が文化を担う時代になってきたようすが見えてきます。遊びに関して、これほど豊かな発想でおもしろがる文明は他にないほどです。

江戸期は戦争もなく、閉じ

た列島のなかで農業社会として、ものすごい人口密度で住んでいました。

同時代の北京の人口が百万ちょっと超えていて、あちらは当時人口三億以上の国です。日本は人口十分の一の三千万で、北京とほぼ同規模の百万都市江戸をもっていた。トップ都市への集中度では十倍。人間が集まると文化や文明が生まれやすいものです。都市があると人は遊びます。浮世絵やタコの着ぐるみで遊んだのです。

昭和のはじめになってもやっぱり着ぐるみをやっています。これは関東大震災の「復興祭」のときの絵はがきです（前ページ図版⑬）。でも、なんか江戸の着ぐるみのほうがぼくはうわ手な気がするのです。

現代にも、民俗的な着ぐるみはあります。秋田の、なまはげです。泣く子はいねがー。こんなのが来たら、子どもが泣くに決まってる（笑）。

さらに近代には、特撮映画の着ぐるみが登場します。円谷（つぶらや）さんです。世界に冠たる着ぐるみ映画です。ウルトラマンは能面とよく似ています（笑）。よくこんなの着て動けるなと思いませんか？　着ぐるみ（ガワ）に入るスーツアクター、アクトレスさんは、ほんとうにすごいと思います。

さて、次は、地方の町おこしに着ぐるみが使われはじめます。平成の末にこれが流行しました。代表格が、天皇陛下（いまの上皇陛下）まで見た、くまモンです（笑）。

皇后陛下（いまの上皇后陛下）から、

「くまモンのなかの方は、おひとりなのですか？」

とご下問がありました。

熊本県知事は神妙な顔で、

「くまモンはくまモンです」と答えた（笑）。まるで、ディズニーランドの職員さんのような上手な回答です。

でも、着ぐるみは事故も起きます。

「ぐんまフラワーパーク」で、熱中症かどうかわかりませんが、キャラクターショーの着ぐるみ師の方が倒れて亡くなられた。最近も、大阪府の「ひらかたパーク」でスーツアクターの死亡事故がおきました。各地の着ぐるみには、着ぐるみ貸し出し規定というのがあって、炎天下では十五分以上は着ないことにされているところも多いのです。（「へーえ、十五分」の声あり）

そうなんです。みなさんもアルバイトで着ぐるみを着ることになったら、三十分以内を絶対守ってくださいね。夏の炎天下は十五分までです。

ともかく、着ぐるみ史は以上のようなことでありまして、着ぐるみひとつとってみても、このような歴史叙述が可能なのです。仮面や着ぐるみの写真からでも、目に見えない社会背景や、人間の心のなかがある程度うかがえます。着ぐるみを例にとりましたが、なんらかの切り口から、社会や人びとの心をながめるのが、現代の歴史学の欲望であり目的であります。

時代小説が描くもの

磯田　お堅い歴史研究というのがあるいっぽうで、やわらかい歴史小説もあります。じっさい、みなさんはどういうものから自分の歴史観をつくっているのでしょうか。そんなに大上段に振りかぶらなくても、たとえば江戸時代のイメージをどこから得ているのでしょうか。おそらく時代劇や歴史マンガの影響が大きく、正直なところ教科書からはあまり得ていないのではと、ぼくは思います。一般の日本人が歴史学者の書いた本から自分の歴史観を形成しているとは思えません。

いまはちがうのですが、ぼくの子どものころは、たいていの歴史マンガでは聖徳太子（しょうとくたいし）はすごいイケメンに描かれ、蘇我馬子（そがのうまこ）はすごい悪党面でした。それで、知らず知らずのうちに皇室につながる聖徳太子＝善玉、馬子は威張っている悪玉＝逆臣という意識を頭のなかに刷りこまれてしまいました。

無意識とは恐ろしいものです。これは一例ですが、国民の歴史観への影響は歴史研究より小説やドラマなどのほうがはるかに大きいかもしれません。

そこで、歴史研究から時代小説までを史実に近い順にならべてみましょう。

歴史研究
←
史伝文学
←
歴史小説
←
時代小説

この順番で史実からはだんだん遠ざかりますが、エンターテインメント性は高くなります。

さっきから言っているように、歴史研究とは史料にもとづき、史実を歴史のプロの人が吟味したうえで解釈してみなさんに見せているものです。しかし、しばしば無味乾燥でおもしろくないものも多いのも事実です。だいいち、人物の生きざまの見えてこないものが多いのです。

ぼくもここに苦しんでいます。史実を史料できちっと吟味すると同時に、一般の人が読んでもおもしろいものを世に問いたいのです。なかなか難しいのですが、その思いで『武士の家計簿』とか『無私の日本人』（文春文庫）を書きました。さいわい二作とも映画になり、読者や観客ができて、広く史実を紹介できたものの、これからも模索は続くと思っています。

その次に、文学なので人の生きざまを描いているが、きわめて歴史・史実に近いものがあります。史伝文学です。教科書に出てくるものに森鷗外（もりおうがい）の作品があります。森鷗外の史伝文学は、鷗外がもともとお医者さんということもあって、きわめて史実に近い書きかたをします。

しかし鷗外も、『舞姫』は小説でしょうし、『高瀬舟』までは、楽しく読めますが、そこから先になると、ますます細かいところまで書くようになって難解になります。たとえば、『澀江抽齋』です。正直なところ、ぼくのような歴史学者が読んでも退屈です。史実を細部まで書きすぎなのです。

歴史小説というのもあります。史伝文学ほど史実は重要視しないが、だいたい、歴史的世界を描いていて、読んでみると、その時代観についてまったく外れてはいないようなもので、時代感がわかる文学です。

たとえば司馬遼太郎さんが近代を舞台に書かれたようなものがこれにあたります。日露戦争の時代を描いた『坂の上の雲』などです。しかし、坂本龍馬を書いた『竜馬がゆく』になると、ちょっと時代小説に近いのかもしれません。史料がたくさん残っている比較的近い時代について司馬遼太郎さんの書いたものは、史伝に近い歴史小説であると言えましょう。

いっぽう、歴史より人間の生きざまというか、人間そのものに興味の中心があるものは、時代小説と呼びます。

このなかで、浅田次郎さんの小説を読んだことある人いますか。

お、二人ですね。浅田さんは現代でもっとも上手い小説家のおひとりです。

ぼくは浅田次郎さんの本の解説も書きました。浅田さんと対談をしたときに、こうおっしゃったことがありました。時代小説の大きな特長、一断面をよく切り取った発言だと思ったので印象に残っています。

「磯田さんサ、たとえば、ぼくの知った会社の社長が、社員と不倫したとする。そのまま書いたら、誰だかわかっちゃったりして書けない。ところが、磯田さん、これを江戸時代の町家の人とか藩の家老と女中さんの話にしたら書けるんだよ」

この場合、書きたい主眼は人間性です。江戸時代の史実や時代性ではありません。人間のありかた、人間性や情緒や、人情の問題は、時代を超えてもそれほど変わっていなくて、その問題を、昔の時代に舞台を移して書こうとしています。その時代がこんな時代だったという事実を示す目的で書かれていない場合が多いのです。

山本周五郎はその代表例で、名作を残しています。

もう亡くなって五十年が経つ方ですから、けっこう冷静に言えますが、ぼくは彼の時代小説を読んで感動するとともに、その歴史の実証性の不正確さについては驚いたことがあります。

『日本婦道記』とかを読まれたことがありますでしょうか。山本周五郎の小説はいまでもよく映画化されるので、映画で見ていただいてもいいのですが、その小説を読むとたしかに感動します。

でも、内容を見たら?? ということも多いのです。

たとえば、福山から岡山のほうに向かって歩くと、鴨方(かもがた)という藩があって、お城があって、と書いてあります。わるいけど鴨方藩にお城はありません。陣屋があるだけです。藩主もその場所に住んでいません。なにを隠そう、ぼくはその備中(びっちゅう)鴨方藩士の子孫ですからまちがいない(笑)。

作家や学者が文章を書いたあとに、出版社はその内容や表現を必ずチェックします。校閲という作業で、大きな出版社にはたいてい専門の部署があります。山本周五郎の小説にはじっさいには城のないところに城が出現したりするので、校閲はさぞ困っただろうな、と思ったりもします。

こうやって、文豪の作品を、史実をふまえているかの実証性でぶった切るのは申しわけないのですが、もう少し話しましょう。実証の度合いでは芥川龍之介(あくたがわりゅうのすけ)のほうが上です。幸田露伴（こうだろはん）なんかもっとすごい。史実にきわめて近いのです。なぜかというと、露伴や芥川の時代はまだ明治大正です。露伴の家は表御坊主衆（おもておぼうずしゅう）でしたから、おじいちゃんはほんとうに江戸城に上がっていたわけです。だから、時代感は段ちがいです。まだ古典とおんなじ言葉を喋っているというか、その空気のなかで生きてきたおじいちゃんたちに育てられているわけですから。

時代小説はおもしろいし、読めば人間がわかるのですが、舞台が過去になっているだけですから、読んでもそれは歴史の事実ではありません。時代小説は史伝文学とか歴史小説ほどには、それを読んだからといって日露戦争がわかるとか戦国時代がわかるものでは、じつはないのです。

元号はこうして決まる

磯田　残り時間が少なくなってきました。終わりになにを話しましょうか。

このほど元号（年号）が変わりました。そうですね。では、この国は元号をどうやって変えてきたかについて、お話しすることにしましょう。

中国の古典に加えて今回、日本の古典も検討することになり、『万葉集』から採られたわけです。

「令和」を考案したとされる大学者と一昨日、ぼくは富山で会いました。（「ええー」の声あり）

中西進（なかにしすすむ）さんという人です。ぼくがいま勤めている職場の大先輩です。この人が新元号を考案したそうです。

まずは現在の話からします。

いまは元号を決めるのに、こんな「留意事項」があります。

⑴国民の理想としてふさわしいようなよい意味を持つものであること
⑵漢字二字であること
⑶書きやすいこと
⑷読みやすいこと
⑸これまでに元号又はおくり名として用いられたものでないこと

⑹俗用されているものでないこと

⑴から⑷までは、まあいいでしょう。⑸のおくり名というのは、むずかしく言うと「諡号」。天智天皇とか桓武天皇など、天皇や皇帝が亡くなったあとにおくられる称号です。

問題は⑹。人名や企業名にあまり使われていないことが必要なんですね。この条件はちとやっかいです。

安倍晋三首相は著書や演説で、「美しい国、日本」とよく言っています。そして『万葉集』の歌のなかにはこんなくだりもあります。

美し国ぞ　蜻蛉島　大和の国は（万葉集 第二歌）

あくまで想像ですが、安倍さんはこの歌のような方向から元号を採りたかったんじゃないかと思います。

そこで「美和」という元号は可能かどうか、考えてみましょう。

まず無理ですね。だって美和ちゃんは日本じゅうにいっぱいいます（笑）。西川美和さんという映画監督もいます。字は違いますが、美輪明宏さんという方もいらっしゃいます（笑）。茨城県の常陸大宮市には美和地区があると聞きます。会社では錠前の有力メーカーに「美和ロック」がある。これだけすでにある……残念です。美和は元号にできません。それでも安倍さんには「美しい和の国」に未練があって（笑）、「うるわしい」という意味の「令」の字を「和」の上にもってきた案を選んだのかもしれません。

元号の案を事前に知ることのできた人はだいたい二〜三人いたと思われます。

まず内閣官房副長官補（内政担当）です。

内閣官房長官は閣僚です。その下に副長官が慣例として三人いる。政務担当として衆議院議員と参議院議員から一人ずつ、そして事務担当としてキャリア官僚から一人。事務担当は各省の事務次官経験者などから任命されますので、いわば日本の役人の頂点ですね。

で、さらにその下に副長官補が三人います。内政担当、外政担当、事態対処・危機管理担当。このうち「内政担当」の副長官補の仕事のうちに、元号関係の仕事があるのです。いつ元号が変わってもいいように、偉い学者さん三人とか五人とかに頼んで何十案か出してもらいます。それをさっき言った条件に照らして、これは使える、使えないと常時チェックをしていて、五つかそこらぐらいまで絞ったものを金庫に厳重にしまっておきます。そしてこの副長官補（内政担当）が交代するたびに申し送っているのです。

この下の実務をやっている人もおそらく調べるために案を見ているはずです。こんどの改元では尼子さんという人が諸先生に元号の考案をお願いし、それがほんとうに使えるかどうかを現場でチェックする係でした。この人は宇野精一（うのせいいち）という漢学者、中国哲学者のお弟子さんです。

じつは宇野家は哲人（てつと）、精一、茂彦（しげひこ）と代々が学者で元号の考案に関与しています。今回も茂彦さんが案を出していたはずです。また、いまの天皇陛下は「浩宮徳仁（ひろのみやなるひと）」と申しあげたのですが、その命名者は哲人さんです。

今回は宇野茂彦さん、石川忠久（いしかわただひさ）さん、中西進さんという大家の先生方が元号案を提出したとされています。

「平成」については山本達郎（やまもとたつろう）さんという東洋史学者の案が採用されたことがわかって

います。

ともかくそういうわけで、内閣官房副長官補、実務担当者、じっさいの考案者の三人は誰よりも先に新元号案を知りうる立場にいるわけです。

このように、必ず特定の人間がいて、国の仕事はおこなわれています。誰が、どのように、それを立案し、実行したかを、記録から追いつめて検証するのも歴史学の大切な仕事のひとつです。

おめでたいときも、災害のときも

磯田　じつは……ぼくは令和になる前に、考案者とされる中西進先生とこんな会話をしていました。そのときは、まさかこの人が元号を考案しているなんて夢にも思わないから無邪気に言ったのです（笑）。

「過去に命令の〝令〟を上に付けた元号はないけれども、〝令徳〟が案として挙がったことはある。これは幕府にたいする嫌がらせ案ですね。徳川家に命令するという意味になるから」

ホントに偶然なんです。でも中西先生はどう思われたのでしょうか、こんど、うかがってみたいと思います。

いっぽう、幕府におべっかを使った案は再三挙がっています。なにしろ元号を変えるときの費用は幕府が出してくれることになっていましたから。

それが「嘉徳」。「嘉」の字は「よみする」と訓ずるのですが、ほめるとか称讃する、英語でいえばadmireという意味があります。徳川をよみする、天皇が徳川をほめるというわけです。江戸時代を通じて何度も案としては挙がってくるけど、しかし採用されることはついに、ありませんでした。

仮にですよ、あくまでも仮の話ですが、「嘉」に平安の「安」と書く「嘉安」なんて元号を提案する人がいて「これは安倍内閣のすばらしさを称讃するものです」とか、そういう元号案をつかった政治的メッセージがあったらたいへんです。いまは、考えにくい話ですが、前近代にはそういうこともありました。

さて、どういうときに改元されてきたのでしょうか。

まず天皇が代わったときです。明治以来「一世一元」ということになりましたので、いまはこの場合しか改元はありません。

それと、おめでたいことがあったときです。「まことに瑞兆である」として改元します。

たとえば、白い雉が発見されました。

あるいは秩父で銅の塊が見つかった。そんなときです。
孝謙女帝——奈良の大仏を造った聖武天皇の娘さん——が寝ているときに天井を見たら、「天下太平」の四文字が浮かび上がったというので改元したことがありました(笑)。このときは「天平宝字」と改元した。ちなみに奈良時代には漢字四文字の元号がいくつかあります。

あと、よくあるのが災異改元です。

昔は地震が起きたらたいてい改元しました。といっても畿内でのことで、関東での地震ではそうでもありませんでした。東日本の災害で改元するようになるのは江戸時代の一七〇〇年ころからです。

五代将軍綱吉の治世の終わりごろ、元禄十六年(一七〇三)十一月に巨大地震が発生しました。この地震は相模トラフが震源です。ここ鎌倉では鶴岡八幡宮の二ノ鳥居まで津波が押し寄せて由比ヶ浜の大鳥居が破損したといいますから、大正の関東大震災のときより被害は大きかったようです。

このときはさすがに朝廷と幕府の仲も近くなったので、翌年には「宝永(ほうえい)」と改元されました。もっとも宝永年間にも地震ほかの天災は相次ぎ、なにより富士山が噴火しました。

さらにもうひとつ、ここが大事です。

革年改元(かくねんかいげん)です。干支は六十年で一まわりして戻ります。「還暦(かんれき)」といいますね。古代中国の讖緯説(しんいせつ)という考えかたによると、この六十年のなかで大変動が起きる年が三つあるとされ、これを「三革」と称します。

・甲子革令(かっしかくれい)
・戊辰革運(ぼしんかくうん)
・辛酉革命(しんゆうかくめい)

この年に天命があらたまって、それまでの王朝は倒れるかもしれないという恐ろしい信仰です。これを避けるために改元しました。

「革命」思想と日本

磯田　ここで中国とか朝鮮とか日本など東アジア世界における天命とか革命について、ちゃんと説明しておかねばなりません。

天というのは人の上にある存在、人を超えた存在を言います。神さまのようなものですが、人格的というよりもっと抽象的です。その天が人間のなかの誰かを選んで、「おまえが統治せよ」との命令を授けます。天命を授かった者の子孫が天子として地上を統治するわけです。しかし、時代が下るうちにそのおうち＝王朝の勢力が弱まったり、ダメな子が生まれたりすると、他の者に天命が下って次の王朝が立ちます。天命が革まる、これがすなわち「革命」です。

近代になってrevolutionの訳語にこれをあてたものですから、いまでは微妙にニュアンスが変わってしまい、ただの安売りを「価格革命」といってみたりしますが、本来の革命とは右のようなものです。

この考えかたを最初にやったのは、周王朝。武王という王さまが殷（商）の紂王というとんでもない暴君にたいして「彼は天命を失った」として倒しました。武王が「私の家は天から地上で帝になれとの命を受けたのです。私は天の子どもである」と言ったら、まわりの有力者もけっこう乗ってくれたのでしょう。

周の王家の姓は「姫」と言います。革命とは王朝の姓が変わることでもあります。それで「易姓革命」ということもある。「易」とは変えるという意味です。

日本史なのに中国史の話になってますが（笑）、もう少しお待ちください。問題なのは、秦の始皇帝です。ご存じでしょう、コミックの『キングダム』に出てきますね（笑）。あの秦王嬴政です。

彼はじつに図々しい。「オレ自身が地上の帝だ！」とやったのです（笑）。みずから最初の皇帝、始皇帝だと名乗りました。自分以降は二世、三世皇帝でいいとしました。それでさんざんすごいことをやりました。

しかし、秦は始皇帝が死んだあと、あっけなく滅んでしまいました。その次に劉邦という人が漢王朝を立てました。漢の高祖と言われます。

この人はもともと王族ではないので、本人もまわりの功臣も柄がよくなくてお行儀が悪かったのです。

その柄の悪い漢の初代の皇帝・高祖の前に儒者と呼ばれる行儀のよい学者がやってきました。

「孔子さまは周の国の文物やしきたり、人びとのふるまいや制度を調べ、整理して教えられました。これを礼楽（れいがく）と称します。これをみなに拡げましょう。人間とは、放っておいたら、儀式もなにもしなかったら、いくらでもムチャクチャをやるものです。秦の連中は法律ばかり厳しくしたから、民に嫌われて滅びました。周の国のやりかたにしたがって、礼儀正しくちゃんと制度に則（のっと）ったことをやりましょう。私たちの言うことを聞いてください」

それを聞いた劉邦は「うるせいやい！」と言って、冠のなかにオシッコをひっかけたというのです。皇帝だけど、そんな男でした。

しかし、天下を取るだけの男ですからバカではありません。損得がわかるのでしょう。自分の家が末長く続くためにはこのやりかたがいいとやがて気づきました。

そこで高祖は儒教でいくことにして、漢王朝も天子と言いはじめました。それで天壇と地壇をつくって、祭祀をします。

土盛りの山をつくって、天の帝と地の帝を祀るのです。天壇は○（マル）で地壇は□（シカク）。古代中国では天は円で地は四角いと考えられていました。そこで祀りをおこなうのが皇帝の役目です。

日本の前方後円墳はこれをドッキングさせた可能性がある。（「ああ……」の声あり）

誰かが中国まで行って天壇地壇を見て帰ってきて、新たにアレンジしたやりかたを考えたという考古学者もいます。前の部族や集団の長を天に送るために○のほうへ葬って、いろんなお祭りごとは□の上でおこなった形跡があるというのです。

このやりかたが発明されたのが、おそらく卑弥呼のころだと思われます。古墳がつくられはじめました。古墳を築いた大王の系統がいまの皇室につながっていると考えて、まずまちがいないでしょう。

お待たせしました、ここで話は改元に戻ります（笑）。
問題は天命思想です。

日本でも、天皇が天子である以上、中国流のとおりにやれば、『孟子（もうし）』に書いてあるように、別の家の誰かが「天がオレに天皇になれと命を下した」と言い出して、取って代わろうとするかもしれません。それでは困ります。

危険人物と目されたのは菅公(かんこう)でした。菅原道真(すがわらのみちざね)の家が、いちばん天皇に取って代わりそうだと睨まれたのです。だって学問の徳があります。ものすごい学問の裏打ちがあって、中国風の法律の知識も圧倒的にもっていました。朝廷の役人たちは菅原道真の弟子になってしまい、伝説によれば、枯木の梅を菅原道真の近くにもってくると、彼の学問の徳で花がパッと咲いたという(笑)。いくらなんでも、それはありませんね。

けっきょく菅原道真は失脚させられて、太宰府(だざいふ)へ送られて、そこで哀しく亡くなりました。亡くなるのですが、革命思想のエネルギーを抜くためか、主に菅原系の子孫の学者公家を集めて、次の年号案を考えさせる役目をあてがいました。

幕末段階で百三十軒あったお公家さんのおうちのなかで十軒足らず、五軒強かな、菅原道真の子孫たちがいました。学者の家で官職は文章博士(もんじょうはかせ)などです。この人たちが年号の案件を出す専門家として続いてきたわけです。

天皇家には姓がありません。姓がなければ易姓革命もない。革命がない、万世一系の日本は中国よりすばらしい国なのだという思想が、このの・ち日本に国学として起こってきました。そして、近代、いや現代に至るまで影響を及ぼすのですが、きょうはこのぐらいにしておきましょう。

難陳というディベート

磯田 話を元に戻します。

絞り込まれた複数の案のなかから、最終的に「これがいい」と決める場がありました。今回、元号を「令和」とするにあたっても「元号に関する懇談会」がひらかれました。作家の林真理子(はやしまりこ)さんとか、iPS細胞の山中伸弥(やまなかしんや)先生とか、そのほかNHK会長、民放の連合団体、新聞協会、経済団体、私立大学の連合団体のトップや最高裁判所の前長官といった人たちの意見を聞く場です。

このように、案を並べてみんなで選ぶやりかたは、じつは江戸時代にもおこなわれていました。さっき言った菅原道真の子孫も当然加わっています。

たとえば天保(てんぽう)改元のときのようす。

天保年間は西暦でいうと一八三〇年から一八四四年です。大飢饉や大塩平八郎の乱、水野忠邦による改革があったことで知られています。天皇でいうと仁孝天皇、将軍でいうと十一代徳川家斉、十二代家慶の時代。世界ではアヘン戦争で清国がイギリスに敗れたのが一八四二年です。

出典は、中国の『尚書』の「欽崇天道、永保天命（欽ンデ天道ヲ崇べバ、永ク天命ヲ保ツ）」。

ぼくは、江戸時代に年号を改めるために、お公家さんが会議でつくった資料をもっています。じつはその史料は、ぼくが京都の街を歩いていたら、古本屋さんでしれっと売られていたのです。

ぼくは、びっくりして古本屋さんに、いいました。

「これ、お公家さんの家にしかないはずの古文書ですが」

「そうですよ。だってこれ、お公家さんの蔵を倒すときに、直に買ってきたものですもの」（笑）

そう京都の古本屋さんはいいました。世のなか、なにが見つかるかわからないものです。

それを見ると天保以下、萬徳などの案が出されているのがわかりました。史料にもとづいてこういうことをやっていたわけです。

そこでちょっとお話しさせていただきたいのは、難陳という年号を決める朝廷の会議のことです。

まず年号案を並べて、問題を指摘する側＝難と、弁護する側＝陳にわかれて議論します。御所会議と似たようなものです。御所のなかに人が集まって、衣冠を着けたお公家さんが並んで、年号案について悪口を言ったり、そうじゃないと言って弁護したりしました。ディベートに近いものです。

会議録によると天保にはこんな難癖がつけられていました。

天保は意味はいい年号かもしれないけれど音がよくない。『毛詩』（『詩経』）にある「天方艱難」（天のほうに難儀なことがやってくる）との句に響きが似ている。だから付けないほうがいい（笑）。これを言ったのは花山院家厚。のちに右大臣にまでのぼる人で、いまの春日大社の宮司さんの祖先です。

賛成意見の陳はどうでしょう。天保は、たしかに「天方艱難」に音が近いけれど、それだけでは「年号しいてその沙汰に及ばず」——問題にしなくてもいいと、言いました。

こういう議論が積み重ねられていって、最後に判決である判旨となります。やっぱり天保がいいということになりました。近来、災害が多い、なかんずく秋に地震があった。よって文政をあらためて天保とします、と決定されました。昔はこういう会議で年号を決めていました。史料が残っていれば、そのようすがわかるわけです。

ちょうど時間となりました。ぼくの講義はこれでおしまい。質問があるならば、どうぞ。（拍手）

ＡＩの時代に

生徒Ａ　きょうは、歴史だけじゃなくて、いろんなことが学べて、すごく勉強になりました。ありがとうございます。

磯田先生は「世間を歩く靴として歴史は大事だ」とおっしゃったのですが、私の経験では――うーん、まだ十七年しか生きてないから、すみません、そこまでの経験じゃないんですけど――、なんだろうな、やっぱりいまの歴史の授業やテストは知識、クイズになりがちじゃないかなと思うんです。うーん、でも、その知識を知って自分でなにか解釈を見つけ出すことができるから、それはけっしてムダだとは思わないんですけど、もし磯田先生が高校の先生だったら、どんなことを重視する授業をされますか？

磯田　じつは詰めこみは悪くないと、ぼくは思っているんです。知識は重要です。ある程度、知識がないと思考もできないから。たとえば『源氏物語』と言われたら、宇治十帖があって、紫式部（むらさきしきぶ）が書いてとか、用語集に書いていることを覚えればいちおうテストは通るわけですね。東京大学だって入れるでしょう、きっと。

しかし、テストを絶対視する必要はまったくない。そもそも『源氏物語』全巻を読んでいないのに作品を理解できているはずはないですよね。ぼくはそんなの我慢できなかったので、図書館へ行って『源氏物語』を全部読んだんですよ。自分の興味があるからやるわけだけど。当然そのあいだ他の勉強は止まります。それでぼくは受験のときにすごく苦労しました。

ところで、これからの時代、じつは等し並みに、同じような知識をもっている人が世のなかを暮らしていくうえでほんとうに有利かという問題が出てきます。

明らかに日本は小国になってきています。

日本の世界人口における割合は、一七〇〇年ごろには五パーセントありました。二〇一〇年は十分の一の比率になります。世界の人口において、いま、日本人は二百人に一人。赤穂浪士の討ち入りの江戸時代には、世界で二十人に一人が日本人だったのに、どんどん小さくなっている。

GDPだってそう。ぼくが若いころ、日本のGDPは中国よりもちろん大きかったのです。一人あたりにすると、十倍あったんです。だけど、今後、米・中は日本の七〜八倍の経済規模となる予測にたいして、日本は伸びが低いので、おそらくいまから三十年後の二〇五〇年——みなさんがちょうどいまのぼくぐらいの年齢になるときですよ——にはインドと比べても四分の一の経済規模しかない日本になるとされています。このデータは世界銀行系のシンクタンクの予測ですから、そうそう外れないでしょう。

いま起きつつあるのは一千年に一回ぐらいの人類史上の変化です。たぶん一人あたりの食べ物の量って増えたと思います。狩猟から農耕に移行したとき、これはすごい変化ですよね。

農耕から工業に移行したとき、これもトラクターで一人がつくりあげる食糧の量を考えても、手で織っているよりは機械でガッチャンガッチャンとやることを考えても、一人あたりの生産量は増えるから、一人あたりの所得も増えますよね。

工業からサービス化というのがたぶんぼくの経験した経済の変わり目で、あなたたちのお父さんやお母さんも経験して、日本のGDPの七割ぐらいが、ものづくりというよりはむしろサービスを提供する時代に移り変わったと思います。

でも、このあたりからちょっとヘンなんですよ。パソコンやインターネットが普及したのに、それほどには所得が増えない。とくに日本では。

さらに、ここから先なんですけど、人工知能の経済になるとどうなるのか。どうやらAIが人間の労働に取って代わるものも多いことは確かなようです。

たとえば単純な仕事？　目的とルールがはっきり決まっていて、わりと具体的な仕事、「磯田道史を鎌倉女学院から鎌倉駅まで送れ」みたいな仕事は自動化が比較的に早いでしょう。

だけど、「鎌倉市を幸せにしろ」とかいう抽象度の高い課題、これは人工知能にはむずかしいでしょうね。あと、「前例のない新製品を開発せよ」。これもむずかしいでしょう。それができる人のもとにおそらく富が集中する状態になるでしょう。

それから人間はある一定程度、労働を機械に任せるようになると娯楽に走るはずです。いっぽうアジア諸国も豊かになります。すると、なにが起きるでしょうか。

これは京都の例で、外国人観光客の二〇〇〇年から二〇一六年までの動きですが、外国人宿泊客が一気に増えているそうです。これまでは自動車、オートバイなどが、ぼくらのお金儲けの四パーセントぐらいを占めていましたが、観光業が抜きはじめました。今後、いったいどんな経済になるんでしょうかね。

これからは「発想結合」

磯田　次の時代にくるのは、「発想結合型経済」とでも呼ぶべきものだと、ぼくは考えているんです。

たとえば片づけロボットです。いまもルンバみたいなのがありますが、あれはなにかに触れたら逃げるという、いわば触覚しかもっていないものです。これからはボタンを押しておけば、元の状態を記憶しているロボットが、散らかっていたものすべてを元に戻してくれる。家に戻ったらすっかりキレイというのが可能なんです。それができるとするならば、建物をつくるときにパネルをはめるとか黒板を設置するなどの「工事」も容易にできるはず。もう一世代ぐらいで、きっとなるでしょう。

それと、薬品の開発にしても、〇〇を抑制する物質とか目的が決まっていればAIがいろんな場合をどんどん試して、クスリがいままで以上のスピードで製品化されるかもしれません。すると、人間の寿命はのびます。

では、なにが人間に残された、いや、人間にしかできない仕事なのでしょうか。

それは「おもしろい」とか「新しい」などの感覚や発想にならざるをえないと、ぼくは思います。

そこで思考実験を、京都でしてみたのです。

たとえば、ぼくが京都で宿屋を経営していたとします。みなさんみたいな修学旅行生がやってくる。人工知能の時代です。どこもおそらく布団敷きロボットとか、お茶出しロボットなんかを導入しているでしょう。いま、「変なホテル」というのがありますね。あれをもっと徹底した感じになるかもしれません。

この状態が進んでいったら、おそらく千五百円とか二千円で素泊まりできるホテルができるだろう。しかし、それはロボット提供会社を儲けさせるばかりで、宿屋を経営するぼくに、ほとんど利益はないでしょう。ひとりから千円、二千円いただいて、よくて数百円が、ぼくに落ちるだけになります。

宿屋をやって一泊一万五千円取らないと食っていけないとなったら、どうしたらよいでしょうか。

そこで考えました。外国人旅行者にこうアピールしてみたらどうだろうか。

「うちの宿ではお香を聞きます、源氏物語の貝合わせもあります。忍者ショーもあります。日本画を教えます……」

要するに京都の近代の宿=布団敷きロボット＋人間に、日本古来の文化=お香だの源氏物語だの、はたまた忍者だの、そういうものを結合させてみる。そうしたら、「あの宿、おもしろいや、千五百円じゃなくて一万五千円払って泊まろう」

となるかもしれません。SNSで拡散するかもしれない。

このとき価値はどこに生じているかを考えていただきたいのです。

これが「発想結合」なんです。

工場労働の時代は簡単です。立命館アジア太平洋大学学長の出口治明さんがいっておられました。四時間働いていた人の労働時間を二倍の八時間にのばせば、所得は二倍になるんですよ。あるいは最新の機械を工場に入れたらいい。しかし、発想はそうはいかない。アイデアですからね、と。

四時間会議しているのを倍の八時間にしたからって、いい案を思いつくとは思えないでしょう？ そんなことをやる前に、磯田道史の話を聴いてみたり（笑）、映画を見たり、海外旅行に行ってみたり、ローマの街を歩いてみたりしたほうがよっぽどいいのです。

自分が触れたことのない他のもの。誰も見ていないもの、学校で教えないもの。それにたいして自分の体が動いて、関心をもって、それを結びつけて、おもしろいとか、みんながそれに賛同してくれるものをつくったときに価値が生まれます。そういう新しい経済の段階に移行しつつあります。

なにせ冒頭に言ったように、人間とはシンボルや記号が好きな不思議な生きものなのですから。

だから、たぶんみなさんに見据えてもらうべきは、いままでのような勉強のしかただけではダメだということです。

明治から昭和の日本の目標は強い国でした。「富国強兵」ですね。戦争に負けたあとは豊かな国、「経済大国」をめざした。

これからは「健やかで楽しいニッポン」がきっとポイントやテーマになるのではないでしょうか。

しかし、教育のありかたが、いまのところ工業化がサービス化に転じつつあったときのままなので、みなさんはとりあえず砂を噛むような勉強をして大学入試は突破しないといけません。

ただ、大学に入ってからはそうではありません。みなさんが勉強したり本を読んだりするときには、よっぽどいろんなことをやって、思いどおりに、知識を増やしておいたほうがいいと思いますね。

おそらく、いま頭を鍛えたり、楽しいことや情報を頭のなかに入れた人と、そうでない人とでは、だいぶ人生に差がつく恐ろしい社会の入口に、ぼくらは立っている気がしていますが。
　こんな答えでいいでしょうか。

生徒A　ありがとうございました。

磯田　なんとなく見えた気がしますか？　うーん。ぼくも完全な答えはもってないんですけどね。

比較・解釈・仮説

生徒B　磯田先生は「教科書とかに残るものは非日常のことが多かったり、言葉とか文字のあるものの情報が主である」とおっしゃいました。それを私たちは学んでいるわけじゃないですか。

日本の教科書を学んでいると、たとえば世界史だったら日本目線のことが書かれている。そういうのがあるから、たとえば日本と韓国でなにか問題が起こったときに、日本の教科書で学んでいる日本人は日本的に考えるから国家論みたいなのが出てくると思うんです。その対策というか、考えかたについてはいかがでしょうか。

磯田　あ、ぼくはすぐやりました。

対策はね、大学に入ったときに各国の教科書が日本語に訳されていたものを並べて読んでみました。まずは「比較する」ことが大事なんですね。

むこうが完全に正しいとかはまったく思いませんでした。たとえば韓国の教科書は自分の時代を進ませるために、近世がものすごく早く始まったようにして、「われわれは日本より勝っている」みたいなことをいうのです。当時の識字率でいったら日本のほうがずっと高く、朝鮮はかなり工業化レベルでは後れていました。奇妙な教科書だとも思いました。しかし、この人たちは日本とは違う、こういう考えかたをもっているのだ、その違いがわかることが、勉強です。

検定教科書だとかなんだとかで騒ぐ以上に、ネット上で各国の教科書の日本語訳を配信して、それを高校生に比較させて、自分はどのような価値観や考えをもつかを問いかけたほうがいい。ほんとうは、ぼくのような立場の人たちや文部科学省が考えて、やらなきゃいけない時代に入っていると思います。こういう広い視野の整備を、めんどうな問題をのりこえてやったらいいと思います。ぼくは、この点にものすごい責任を感じています。ですから、きょう、こんな議論ができることはきわめて大事だと思います。

生徒B ありがとうございます。

あまり傲慢であってはいけない

磯田 他になにかありますか。いいですか？

生徒C すばらしいお話をありがとうございました。

具体的な質問になってしまうんですけど、さっきの着ぐるみのスライドで、最初に最古の仮面が出てきましたよね。あれってふつうに、ただ、出土したときに、私が見たら貝に穴三つあいているだけだと思って終わりで、仮面、これは顔に当てて使っていたのだろうとの発想には至らないように思われて……。

磯田　まちがっているかもしれないよね。あれもただ偶然に穴があいただけかもしれません（笑）。

穴の位置を見たときからが解釈です。だからいろいろ考えてみることが大事なんですよ。ほんとうに加工痕があるかどうかを調べる。加工痕とは石でもって人為的に一定の方向から打撃が与えられているかどうか。これを遺物についてしっかり確かめる。これは史料批判です。

遺物についても、たとえホンモノであっても、その穴は人為的に目としてあけようとしているものなのか考えるのです。

ひょっとしたら漁具なのかもしれませんよ。穴が三つあるのだったら、なにかに結びつけるためにつくっていたかもしれない。いろいろ考えて仮説を立ててみるのも大切です。他の人の批判を受けることを怖がってはいけません。

おもしろいのは、考古学者は不思議な道具を遺物として発見した場合、たいてい「おまじないの道具」で片づけようとするんです（笑）。

ぼくは考古学者ではないのですが、モノを見るだけに考古学者って「掘ったオレがいちばんわかる」というような、自分の言っている説が正しいと思う自信家が多い気はしています。なんであれ、あまり傲慢であってはいけないのです。

いっぽう、歴史学者は古文書にしょっちゅうウソをつかれるので、猜疑心が強すぎると思います。

教養とはムダの別名である

生徒D　きょうはほんとうに、たいへん興味深いお話をうかがえておもしろかったです。ありがとうございました。

歴史にはいろんな見かたがあるとか、人間しか歴史をもたないとか、歴史を学ぶ重要性みたいなことについて教えていただいたと思うんですけど、いま、日本で人文系の学部を減らす大学があったり、「学芸員はがん」と発言した大臣がいたり、歴史ないし文系を軽視する風潮はひどいなと思うんです。磯田先生のように「人文系は大事だよ」とおっしゃる人もいるのになんでそういう風潮が生じてしまっているのでしょうか。

磯田　きっとねぇ、目先のことや自分のとりあえずの仕事の、狭い範囲で物事を考えがちになっちゃっているのかもしれませんね。

人文系の学問って役に立たないどころか、じっさいには、これ見てのとおりで、発想結合させたりしないといけないから、ほんとうはこれがいちばん未来を拓く、GDPばかりではありませんが、経済成長のエンジンにもなるはずだと、ぼくは確信しています。

今日の文教政策は、とりあえず流行の科学技術に予算を重点配分し、そのうえで競争させてみたり、引用される回数の多い論文を書くところにだけ、たくさんおカネを投入してみたりしがちなんですけれど、とんだ考えちがいをしていると言わねばなりません。

自然界を例に考えてみましょう。

植林でスギやヒノキだけの林にすると、集中豪雨のように周囲の状況が変わったときに一気に倒れてしまったりしてたいへんなことになります。

雑木林にはいろんな生きものが棲みついて多様な生物世界があります。ひょっとするとその雑木林のなかからは新薬のもとになるふしぎな菌や微生物が採取できるかもしれません。

学問も同じです。多様なものが存在している状態が、じつは歴史の教訓からしても時代が変わるときには強いのです。一見いま流行っている学問が外国で引用されやすいから、そこにいっぱいおカネを投入すればいいってもんじゃない……いい場合もあるんですけれど（笑）。

ただね、目先で役に立ちそうに見えるものは、すぐに役に立たなくなりもします。一見ムダなものがあとで役に立つこともあります。まわり道もけっしてまわり道ではないということが大事だと思いますね。

教養とはなにかということを、ぼくはよく考えるのです。「教養」にはいろいろな定義があると思いますが、「ムダの積み重ね」じゃないでしょうか。「年季の入ったムダ」と言ってもいい。

たとえばフランス語とか英語とか、勉強してみたけど忘れましたということがあります。

忘れるのにどうしてやるのだろうと思う人には、「バカを言っちゃいけない」と言いたい。一回覚えて忘れた状態を教養という、最初から触れたことがない人間とでは雲泥のちがい……と内田百閒（うちだひやっけん）は言いました。ぼくが大好きな随筆家です。

そうなんです、なんとなく触れたことがある感じが人間にとっては大事です。たとえば落語を聴いたって、ものの役には立ちそうにないけれど、人間とはどういうものなのかを考えるときにきわめて大事です。バカバカしいような話のなかに本質があります。だからムダが大事にできるようでなければいけないと思いますね。

どういうわけか日本社会は一点集中、この道一筋になりやすいんです。科学技術でもすぐ役に立つこと、戦争に必要と思われることにばかり集中しました。それで造船技術はすごく発展して戦艦大和までつくったのです。

飛行機でも、強い戦闘機をつくるんだとなったら、東京帝国大学に第二工学部まで設けて戦闘機をみんなで開発させたわけです。たしかに零戦はできました。すばらしい技術です。

ところが、かなしいことに、アメリカはＢ29みたいなすごい大型爆撃機を開発してきたわけです。日本じゅうが空襲にあいます。でも、日本の戦闘機はＢ29に手も足も出ませんでした。どうして日本の戦闘機が上がっていってＢ29を撃ち落とせなかったかわかりますか？

戦闘機のエンジンは、一定以上の上空に上がるとすごく丈夫にしないといけない。エンジンのなかにある空気を加圧すると非常な高温となり、エンジンの金属がそれにたえられなかったのです。日本の技術ではそんな金属がつくれなかったのです。

ところがアメリカでは、あらゆる学問を雑木林みたいに生やしていたから、学問の裾野が広いから、ずっと高い高度、高温に耐えられる合金をつくる技術が飛行機に応用できた。

つまり、学問の総合力が日本よりもずっと上だった。強い戦闘機をつくろうと思ったら、兵器と全然関係のない合金をつくるような研究の技術も横にもっていないと絶対にダメなのです。

一回コテンパンに西洋に敗けているのに、まだ懲りず、こんどは人文系の学問はすぐ役に立ちそうにないから規模を小さくしようとか、渡すおカネを削ろうという発想がまかり通るのは、ぼくには理解できないのです。

本をたくさん読めば、そういうふうにはなりにくいのですけれど、想像力が欠如しているのかもしれません。目先の国会での五分とか十分の答弁をやり過ごせたらいいやみたいなそんな発想、減点されないよう人の顔色をうかがう忖度(そんたく)が蔓延しているとまずいのです。そうならないためには、まずは教養です。

だからみなさんは、ほんものの教養人になってください。ぜひ、なる！　そう思っていないと教養は身につきません、ホントに。

ぼくも学問にはげみ、世のなかのことを考えつづけていきたいと思っております。ありがとうございました。

生徒一同　ありがとうございました。（拍手）

一冊の本がさらなる対話を生む

◎編集部より

本書刊行後、さまざまな反響がありました。なかでも「ビリギャル」こと小林さやかさんと、名古屋のアパレルショップの店長だった外山莉佳子さんの熱い思いに磯田先生が対談を快諾、その結果がそれぞれのサイト上にアップされました。文庫化にあたり、許可を得て対談を再編集して収録します（収録に際し、横書きを縦書きに、算用数字を漢数字に、漢字の表記をひらがなにあらためたところがあります）。

【初出】

◎NIKKEI STYLE U22／ビリギャルもう1回勉強するよ

＊「目」の変遷たどればAIわかる／何でも歴史の題材に　役に立つ歴史（前編）

2020年3月6日

https://style.nikkei.com/article/DGXMZO56307000T00C20A3000000/

＊子育て上手の武将は誰？／歴史はこう読めば楽しくなる　役に立つ歴史（後編）

2020年3月9日

https://style.nikkei.com/article/DGXMZO56384630U0A300C2000000/

◎教科書に載らない歴史に食らいつく！

アングローバルコミュニティマート

https://www.anglobalcommunitymart.com/read/138/

ビリギャルもう一回勉強するよ

小林さやか×磯田道史

「ビリギャル」の本の冒頭には、私が歴史を知らなさすぎて恩師である坪田信貴先生がずっこける場面がでてくる。「聖徳太子」を「せいとくたこ」と読み、しかも太った女の子だと思ってたんだから、そりゃたいていの人はびっくりする。「死んだサムライの話をいまさら知ってなにが面白いんだろう」ってそのころの私は心底疑問に思っていた。でも今回お会いした、国際日本文化研究センターの磯田道史准教授は、なんだかものすごく楽しそうに「歴史家」をしているの。歴史ってなんだろう？　歴史ってどうして大切なんだろう？　磯田先生にぶつけてみたよ。

図書館を使いたかったから大学に

小林　きょうはよろしくおねがいします！（あれ？　磯田先生あんまり笑顔じゃないな、ど

うしたのかな）

磯田　すみません、ふだんはちゃんと笑顔なんですけど。きょうの対談場所の東京・大手町が苦手なんです。大学出て大きな会社に勤めている人ばかりがいそうな街って居心地悪くて。

小林　なにその理由！（笑）。でも先生だって有名な大学院を出てるし、私からしたら超エリートですよ!!

磯田　僕は別に大学に行きたかったわけではなくて、図書館を使いたかったから大学に行っただけなんですよ。

小林　図書館？　先生は本を読むのが好きなんですか??

磯田　そう。大学の図書館でとにかく本をかたっぱしから読もうと思って。ところがね、京都府立大学に入ったのだけど、大学の図書館の歴史の本は読みきっちゃった。それで、京都大学の図書館を訪ねたら、京大関係者じゃないと書庫に入れないって言われた。十八歳で入学した学校の違いで読める本が制限されるなんて困ると思って、図書館が開架式で、自分が師事したいと思っていた速水融先生がいた慶應大に入りなおしたんです。

小林　え、図書館の歴史の本を全部読んだってどういうこと？　私一冊の本読むのにめっちゃ時間かかるんだけど、それを「読みきっちゃったから別のところ行きたい」って言ってる人がいるってことに、いま驚いてる。本を読むことと歴史を学ぶこと、なにか関係あるんですか？

磯田　関係あるんです！　たとえばね。慶應大に移った後、携帯電話に関する書籍を全部読みました。きっかけは、平成になったばかりのころなのに、慶應大の同級生が巨大な携帯電話をもっていたことでした。もうびっくりして、それで携帯電話が気になって、まず通信白書を読んだ。そうしたら、十年経たないうちに日本人の大半が携帯電話をもつようになるらしい。じゃあ、携帯電話を全員がもつとどんな世界になるのかが気になるから、アルビン・トフラーなどの未来学の本を山積みにして読んだ。

次に、人類は紀元前から新しい技術の登場と向きあってきたわけだから、そういうときに社会がどう変化したかを知りたくなった。それで、農業の誕生で世のなかがどう変わったかを研究しました。こうやって過去にさかのぼって調べる。こんな具合にとにかく自分が知らないものや、遠くの時間、空間で起きていることを知るのが好きなんです。私が図書館にこだわるのは、そういうわけなんです。

これを飲まず食わずでやっていて過労で倒れ、大学図書館に救急車がきてしまった。

小林 飲まず食わずで本読みすぎて倒れて緊急搬送されるってもうそれコントじゃないですか（笑）。磯田先生が読む本って、わたしたちが想像する「歴史」に関するものだけじゃないんですね。でも過去に人類社会がどう技術革新で変わったかを調べるのも、確かに言われてみたら「歴史」だね。

磯田 でしょ？ でも、僕は自分が歴史をやっているつもりはないんですよ。

小林 なんと。そうなんですか。じゃあなにをやってるつもりなんですか？

間違いをできるだけ少なくできる

磯田 いちおう、職業をきかれたら歴史家と答えます。でも、僕のなかでは、磯田道史という人間をやっているという感覚しかないんです。時間空間を飛びこえてなにかを知りたいと思って素直に行動していると、結果的に歴史をさかのぼっていくことになる。歴史をさかのぼって、これまでどうしてきたかを知り、そのうえで、これからどうなるかを考える。それがどうやら、世のなかでは「歴史」と呼ばれているらしいんです。

小林　磯田道史という人間をやっている？　めっちゃかっこいい。そういえば「ビリギャル」の著者坪田先生も「過去のことなんてどうでもよくない？　いまが楽しければ!!」って言い張る私に、「さやかちゃんね、現代のあらゆる物事をほんとうの意味で理解するためには、過去のことを知らないとだめなんだよ。過去を知ることは、いまを知ることにつながっているんだよ」って昔言ってた。そして現在のことだけじゃなくて、未来を予測するためにも、歴史は必要なんですね。

磯田　そう、未来をみるために、歴史を参照しているということかな。

小林　ってことは、やっぱり歴史はめちゃめちゃ役に立っちゃうんですね？　テストのためにするただの暗記なんかじゃない。

磯田　役に立ちます！　二〇一九年にノーベル化学賞を受賞した吉野彰（よしのあきら）さんは、京大工学部時代にお寺の発掘をしていたくらい考古学が好きな方です。ノーベル賞を受賞したとき開口一番こうおっしゃっていました。「未来は現在からはわからない。歴史からじゃないとわからない」って。

吉野さんは、歴史が好きで過去にさかのぼって調べるわけです。まだ道具がないところから、いろいろな道具が誕生する過程を研究しつづけた。だからこそ、リチウムイオン二次電池という、これまで世のなかに存在しなかった道具を発明できたんじゃないかと僕は思うんです。

小林　新しいものを作り出すときですら、歴史が活躍してるんだ！　なんか逆説的だけど、いまならめっちゃ納得。もしかして、その考えかたがいろんな分野で使えるんじゃない？

磯田　そう！　目標を達成するために、過去をさかのぼって戦略を考える。過去の失敗に学ぶこともあるし、過去には使えなかった道具が新しく登場しているから違う戦略を立てようということも考えられる。つまり、歴史を知っていたほうが、間違いをできるだけ少なくできると思うんです。

小林　どんな時代でも、人を引き付ける人には共通点があっただろうし、戦国時代で強かった武将がどういう戦法で戦っていたかっていうのと、いまでいう組織マネジメントっていうのにもきっと共通するものがあるだろうし、たしかに過去に学べる人って生きていくうえで超有利になれちゃうんですね。でも私は磯田先生ほどそんなにたくさん本読めないし、読んでも忘れちゃいそうで歴史をちゃんといまに生かせるか不安。

なにが起きてもどんな話になっても楽しめる。ただし……

磯田　読んで忘れた状態を僕は教養って呼んでいるんです。あらゆる本を読んで、過去をさかのぼって、世間的にいう歴史を勉強しておくと、なにが起きてもどんな話になっても楽しめます。

一点だけ押さえておきたいのは、歴史とは因果関係の解明であるという点です。わたしたちの生活のなかで直面するさまざまなできごとは、原因があって結果があるわけです。その因果関係を探して、５Ｗ１Ｈ（what, why, when, where, who, how）を明らかにする。これが歴史。

歴史の題材はなんでもよくて、たとえば、目でもいい。目を最初にもった生物はカンブリア紀の三葉虫なんですけどね。目をもつってものすごいことだった。圧倒的に強者になれるわけですよ。

小林　先生は網羅している分野の幅がホントにすごい。カンブリア紀の三葉虫から始まったのが目の歴史ですね？

磯田　そう。というのも、人工知能（AI）時代が到来して、東京大学の松尾豊教授によると、そろそろカンブリア爆発みたいなことが機械の世界でおきているっていうわけ。AIが目をもちはじめているから。だから目の登場って生物になにをもたらしたのかを知りたくて、さかのぼって調べたくなるんです。だって、機械が目をもったら、世のなかは変わりますよね。倫理的な問題があるから規制するかとか、いろんな議論がこれから起きるはずで、僕は世界中の論文を読みたくてしかたないんだけど、残念ながら時間が足りないなあ。

小林　なるほどそうやって読みたい本を見つけていくんですね、おもしろい‼　たしかにそれじゃあ時間は足りないですね、圧倒的に。また倒れちゃいそう。先生、奥さまにもこんな話をするんですか。

磯田　一方的に話しています。っていうか、僕、結婚には時間がかかりまして、お見合いを数十回したくらいなんです。

小林　もしかして、恋愛の本も読んだんですか。

磯田　結婚までに至る過程が書いてある本はたくさん読んでみましたよ。おもしろいから古今東西のものを読んだんですけど、恋愛だけは歴史を勉強してもうまくいかなかったですねえ。

題材はなんでもいい

小林　磯田先生のお話を聞いてると、どんな事柄も歴史の観点で楽しめそうな気がしてきました。でも、正直言って学校の歴史の授業は楽しめない人も多いですよね。

磯田　暗記物になってしまったからでしょうね。やっとまともな歴史の話になってきました（笑）。

小林　学校の先生は歴史の先生になるくらいだから、きっと歴史がもともと好きな人ですよね。だから歴史に興味もてない子の気持ちがあんまりわかんないのかなあ？というかそもそもきっと、カリキュラム終わらせるのに必死でほんとうにおもしろい歴史の話をする余裕が先生にないんだよね。だからこんなことになっている。

磯田　もっと自分の問題として歴史を学んだほうがいいんです。たとえばですけど僕はね、自分はなぜ生まれたかを細かく聞いたことがあります。両親はどうやって出会ったのか。祖父母はどうだったか。祖父母のお見合いの席でどのような順番で誰がすわってどんな会話がなされたかまで、その当時に話を聞ける人に聞きまくりました。

小林　それ、めっちゃおもしろい!!　たしかに「自分の歴史」っていま聞いて調べておかないと消えてなくなっちゃいますよね。

磯田　そう。でも、いま生きている人に聞ける範囲は限られている。それで、次に古文書を読みました。たまたま実家に先祖の日誌のようなものが残っていたので、解読しました。これをくりかえすうちに、自分の家族だけではなく住んでいる地域や国、気になる人物がなぜこう行動したのかを分析したくなるんです。そうすると、図書館のなかの本がすべて自分にとって輝いたものに見えるようになりました。

小林　先生、それ子どものときからやってたの?　すごいね。そういう友だちいなかった。小さいときから歴史家みたい。

磯田　題材はなんでもいいと思います。電車でもファッションでも、口紅でも。その歴史を調べてみる。あるいは人物でもいい。ジャニーズが好きなら、ジャニー喜多川さんの生涯をテーマに調べてみたらいい。歴史というと、国どうしの外交とか、王政がどう変わったかとか、産業革命、宗教革命みたいな社会科学的なものを思い浮かべがちですが、もっと身近な人物史や生きざまから入ればいい。そのうちに、だんだんと歴史的な思考ができるようになると思います。

小林　なるほど！　自分の好きなものでいいんだ。それなら女子高生たちも、好きな芸能人を調べるとか、追いかけるのとかは得意だからできそうですね。でも、たとえば、ある戦国武将のことを深く調べてみたいってなったときに、先生はどんなふうに調べるんですか？　もしくは学生たちにどうアドバイスする？

戦国武将は合戦ばかりしていたわけじゃない

磯田　戦国武将の名前と合戦の歴史はみんな覚えるでしょうけど、そんな話ではなくて、彼らがどんな親でどんなふうに家計を考えていたか。こんな身近な話題だとおもしろいでしょ。たとえば、江戸時代に編纂された徳川家康についての伝記には、家康の大奥に足袋入れがあったと書いてあるの。大奥の女性たちが足袋を捨てる前には、必ずこの箱に入れなければいけないと決まっていた。そして、家康は女性たちの目の前で、まだ使えるものと捨てるものを仕分けたそうです。

小林　なんで？　ケチだったの？

磯田　そう。節約家なの。家康は天下人だからどんなぜいたくもできたはずなのに、足袋一足でも修繕したら使えるものは残す姿勢を見せた。そうすることで、賢く暮らす習慣を大奥のなかでつくっていったのだと思います。こういうシステムをもっている家は長続きする。

ところが豊臣秀吉は全然違いました。秀吉が朝鮮出兵で家を留守にしているあいだ、息子の秀頼から手紙が来ます。女中が言うことをきかないって文句が書いてある。秀吉は、「縛って置いておけ、わしが折檻する」って返事する。秀頼がおもちゃをほしいといえば、当時の明からものすごいものを取り寄せる。そんなことをしていた豊臣家は滅びました。

小林　へえー！　そんなこと教科書には書いてなかった。そういうのを知ることができると、印象に残って自然と名前も覚えるし、その人がしたこととかにもリンクしやすくなっていいですね!!　織田信長（おだのぶなが）は？　なんか怖そうなイメージだけど、子どもはかわいがったのかなあ。

磯田　自分の子どもにほとんど興味がないんじゃないかな。あるとき、家臣が嫡子の信忠（のぶただ）のことをほめたんですね。客人にたいし、常識的にふさわしい返礼品を渡す見識があるって。ところが信長は激怒するんです。意表を突くところがないと武将は勝てないぞって。秀才で整った常識人だった信忠のことがおもしろくなかったんでしょうね。

親として子どもを伸ばしたのは、前田利家（まえだとしいえ）です。嫡子の利長（としなが）はさして優秀というわけではなかったようですが、利家は人前で息子をやたらとほめるんですよ。良いところを見つける人だったんです。利長には足りないところもあるけれど、みんなでもり立てようって。そうやって自信をもたせて、細かいところは具体的に指示して、一人前に育てたらしい。

小林　前田利家さん良い人！　坪田信貴先生みたい!!　その時代からコーチングをしていた人がいたんですね。きっといまの時代に利家さんが生きていたら、社員が生き生き働いている会社の社長さんとか、子どもがぐんぐん伸びる学校の校長先生とかになっていそうだなあ。武将も人だもんね。人物像が浮かび上がるとおもしろい。

歴史とは他者理解

磯田　歴史とは5W1Hを調べて因果関係を考える学問だと言いましたが、もうひとつおさえておきたい点があります。歴史とは、他者理解なんです。自分と違う時空のヒト・モノ・コトを一生懸命理解しようとする営みなんです。そこに、自分を重ねすぎると、歴史ではなくただの願望になってしまう。

小林　他者理解かあ。歴史がそんなに深いところにつながっているとは思いませんでした。なぜ、自分を重ねてはいけないのでしょうか。

磯田　色眼鏡になるからです。色眼鏡をかけて見はじめると、本当の5W1Hではなく、自分が見たい歴史を見ようとしてしまいます。自分中心の了見だけで天動説のように見た世界は見かけ上のもので本物の世界ではありません。自分には自分の、他者には他者の理屈があります。個人でも国家でも民族でも、それぞれが自分とは違う価値観や考えかたをもっていて、人それぞれに世は地動説のように動いている。お互いに自分の尺度だけで相手を見ても理解できない。こういうことを理解するときに、色眼鏡をかけずに他者を見る姿勢がとても重要になると思うのです。

いま、日本には海外からの訪日観光客がかつてないボリュームで来ています。そして、その人数はあと十年もすれば日本の人口と同じくらいになるんじゃないか。いま、日本は他者理解がものすごく必要になっていると思うんですよ。だからこそ、相手がどう感じるか、それを知ろうとする歴史の視点が大事なんじゃないかなと思っています。

小林さやか（こばやし・さやか）

一九八八年生まれ。『学年ビリのギャルが1年で偏差値を40上げて慶應大学に現役合格した話』（坪田信貴著、ＫＡＤＯＫＡＷＡ）の主人公であるビリギャル本人。中学時代は素行不良で何度も停学になり学校の校長に「人間のクズ」と呼ばれ、高二の夏には小学四年レベルの学力だった。塾講師・坪田信貴氏と出会って一年半で偏差値を40上げ、慶應義塾大学に現役で合格。現在は講演、学生や親向けのイベントやセミナーの企画運営などで活動中。二〇一九年三月に初の著書『キラッキラの君になるために　ビリギャル真実の物語』（マガジンハウス）を出版。二〇二一年、聖心女子大学大学院人間科学専攻博士前期課程修了。

教科書に載らない歴史に食らいつく！

外山莉佳子×磯田道史

好奇心は、現在だけでなく「過去」に向かうことがあります。名古屋のアパレルショップで接客にはげむ外山莉佳子さんは、学生時代から大の歴史好き。しかし、教室で得られる知識には満足ができず、史跡に足を運んだり、戦国武将の実像に迫るテレビ番組にも熱中していました。そんな歴史オタな外山さんの好奇心をずっと刺激しつづけているのが、歴史家の磯田道史先生です。お二人の対談から読み取れる、趣味にとどまらない「歴史の実用性」は日々の生活を楽しむヒントにもなりそうです。

二千年以上前の生活との出会い

外山　私は、学生時代、教科書だけに載る歴史が信じられなかったんです。気になったら実際に行って、自分の目で確かめて一つひとつ理解する、ある意味要領の悪いタイプでした。磯田先生はテレビでずっと拝見していて、歴史への興味をなんども刺激していただいていたので、お話しできるのが嬉しいです！

磯田 ありがとうございます。

外山 まず、磯田先生の「歴史」との出会いを聞きたいです。

磯田 最初は土器でしたね。私は岡山の生まれで、自分が住んでいた地面、自宅が、「津島遺跡」という弥生時代の水田集落の遺跡の上でした。お庭の隅にも、弥生式土器が自然に転がっている、近所で道路工事があっても土器が出土したんですよ。

外山 そんなにラフに出土するんですね。

磯田 ええ。二千年以上前の人びとの暮らしの「あとかた」です。それで、ある日、近所にいた高校の先生が「土器の破片が用水路の工事現場で出た」と教えてくれた。

外山 それで現場に行ったんですね。

磯田 はい。見るだけでなく、地表面に散らばった「かけら」を持って帰りました。さらに翌日も行きましたね。ここまでは、子どもならふつうにやりますよね。でも、僕は一歩先に進んでみた。なんと、その土器のかけらを持って、子どもの補助輪（コマ）付き自転車で岡山大学に向かいました。勇気を振りしぼって、大学のビルに入り、なかにいた大人を見つけて一生懸命に、言いました。「近藤義郎さんという考古学の先生に会わせてほしい。この土器がなんなのかを知りたい」と。いま思えば、ここが大事でした。土器に感動しているだけでは、その先の発展はありません。感動すれば、自分で行動を起こす。とことんまで、調べようとした。

知るためならどんな行動にも出る

外山　教授には会えましたか？

磯田　いや。アポなしだったので、お留守でした。助手さんか院生さんだったかが、研究室のなかにいて「いまはいない」と言うわけです。小学生がドア前に突っ立っていて、ビニール袋に土器を入れて持って、いきなり教授に会わせろ、と言うのだから、助手さんも驚いたでしょうね。きっと。でも、やさしそうな大人の女の人だったから、かわいい子が来たと思ったにちがいありません（笑）。助手さんは本に埋もれていましたね。その光景だけでも子どもにはおもしろかったです。後日、近藤先生

（当時、岡山大学文学部教授）から、ちゃんとしたお手紙をいただきました。「あなたの持ってきた土器は室町時代の灯明皿（とうみょうざら）です」という内容で、きちんと質問に答えてくれていました。僕は大喜びでした。歴史まんがに出てくる人たちが生きて使っていた時代のモノを直接手にしたとわかって興奮しましたね。

外山　まさに歴史との出会いですね。「灯明皿」とは、どんなものですか？

磯田　現代でいう室内ライトですね。その時代に照明器具があったということは、暗い場所で本を読んだり、お経をあげたり、ご飯を食べたり、「夜」のライフスタイルがあった、ということです。つまり、ある程度の豊かさがあった。

外山　土器の破片から、いろんなことがつながっていく。

地下から、空へ向かった興味

磯田　人間は基本的に「いま」しか見えないですよね。映像はありますが、変形された過去です。もちろん、将来も見えません。推測はしますけど。だから、せいぜい、自分で体験できる時間は百年前後くらい。「この肉体は百年以上の時間の単位を経験できないんだ」。子どもながらに、とても衝撃を受けましたね。

外山　それが歴史少年の誕生でしょうか。

磯田　わかりやすく言えばそうかもしれません。しかし、そこから考古学＝土のなかの学びへ向かうかといえば、関心は逆方向にいきました。天空へ向かって、星を眺めるようになった。理由は明らかです。要するに、天体は、確実に見える「過去」です。たとえば、太陽の光が届くまでには約八分かかる。となると、僕らが見ているのは八分ちょっと前の太陽でしょう。月だって僕らは一・三秒前の月を見ています。

外山　そうですね。なんだかドキドキしてきました。

磯田　僕はいわゆる「歴史少年」ではなかったんです、お城が好きで写真を撮って「お城帳」を作って、というような。土器や星を見て「本物の過去だ！」と感動し、ひたぶるに考えこむタイプだった。当時は動物図鑑も見ていたし、望遠鏡を自分でつくるほどの天文オタクでした。野菜栽培もやれば、生き物だって飼う。野球もしていました。正直なところ、子どもが興味をもつようなことは全部していました。

教科書に載らない歴史

磯田　外山さんは、さきほど、「教科書だけの歴史が信じられなかった」とおっしゃっていましたね。僕も同じです。学校の教室のなかだけで満足していたら歴史学者にはなっていないので当然のことですが。本流からこぼれ落ちる記述や視点は、常にあるものですよね。

外山　磯田先生は、近著の『感染症の日本史』（文春新書）で、無名の人物が残した日記に焦点を当てていたのが印象的でした。本のなかでは、ひとりの個人が残した参照先を「ミクロ・ヒストリー」と呼んでいますね。

磯田　たとえば、「社史」、ひいては「日本史」は、犬や猫の目から見て実体でしょうか？　団体は建物や看板にしないかぎり、目に見える実体ではない。犬や猫は会社の建物は物体としてはわかりますが、「団体」としての概念は理解できません。この人が「社長だ」といっても、「社」がわからないから、ただのオジサンにしか見えない。ですから、団体の歴史は人間以外の動物にはわからない。実体ではないわけです。ただ、僕らホモ・サピエンスの特徴は、団体を精密・大規模・長期に形成するところにあります。ですから大きな団体の歴史、日本史といった「マクロ・ヒストリー」の勉強は必要ですが、やはり、どこか実体からはかけはなれた「フィクション」の面があります。こんな歴史ばかり勉強していると、必ず、漏れる視点も出てきます。

外山　ですね……。

磯田　個人といっても、いろんな人がいますよね。個人は生物の個体ですから、ものすごい具体性があります。歴史学者としては個々の人びとの「ミクロ・ヒストリー」と、その集合体である「マクロ・ヒストリー」を行き来しながら因果関係を考えるのが、歴史をさぐる方法としては正しいだろうと思っています。

「歴史」は「実用品」である

外山　個人の視点と俯瞰の視点を行き来しながら因果関係を考える、というのは、「歴史」以外にも応用できそうです。

磯田　なぜそうなるのか、条件や前提を突き詰める思考です。自説についても他説についても、それがよって立つ条件や前提条件を一個ずつていねいに考える。足りない情報があれば、子どものころに、大学教授に会いに行ったように、灯明皿が出土した岡山市一宮地区の辛川橋（からかわばし）まで自転車で行ったように、必ず元へ返って、現場・現物・実物・実態を調べる。これを大切にしています。

外山　磯田先生の、時間をかけて、みずから動き追求する姿勢を見習いたいです。

磯田　僕は、「歴史」は「実用品」であると、これまでにも言ってきました。ここでいう歴史とは、過去のことです。あらゆる物事には、積み重ねがある。そうしたさまざまなレファランス（参照元）は、われわれが生きているこの時代にも活用できる「実用品」なんです。

伊達政宗のパフォーマンス

外山　いま、磯田先生にとって興味深い戦国武将がいたら聞いてみたいです。

磯田　戦国武将を考えるうえで補助線を引くならば、現代的な人とそうでない人、という分割線を引いてみると、おもしろいかもしれない。伊達政宗は比較的現代人に近いと思いますね。

外山　それはなぜでしょうか？

磯田　彼は象徴的なものによって思考をしていたと思うんです。いわば、彼らは、ブランド物に反応する。共通して、和歌を大事にしていた人たちですね。

外山　伊達政宗については、豊臣秀吉との謁見の場に白装束を着て行ったというエピソードに驚かされました。

磯田　彼は秀吉が「パフォーマンス」好きだったということを、よく読んでいたんじゃないかな。

外山　でも、死装束で行くのは変ですよね。

磯田　そうそう、合理的に考えるとおかしいですよ。でも、そうすることで、そこから「死」を連想させて覚悟を示す。彼はとことん「象徴性」の人なんです。内装のデザインや、自分のファッションにもこだわりがあったと思いますね。それとは反対に、とことん即物的な人物も興味深いかなあ。僕は「名古屋即物主義」とくっているんですけど。

京都に比べて、名古屋は合理的?

外山　私、生まれが名古屋で、いまも住んでいるんです。
磯田　そうでしたか。名古屋には合理主義を感じます。代表的なところで言えば、それこそ秀吉や織田信長でしょう。彼らは象徴よりも……。
外山　「実利」ですよね。
磯田　鍛冶屋が、刀の美しさ、刀工の由緒を、プレゼンしても彼らはたいして反応しないと思いますが、よく切れる、深く突き刺せる、と聞けば、身を乗り出す。そういうことです。
外山　なるほど。
磯田　対照的に、僕が住んでいる京都は、象徴の街です。要するに、「都であること」をさまざまな方法で誇る。他のところとはちがい、価値がある場所なんだぞ、というお芝居をして、年貢をはじめ、貢ぎ物を持ってこさせることに成功しました。そのための道具立てが、奈良や京都の寺院だと考えることもできますね。大仏みたいなものを造るのは、即物的なコスパでいえば、あわない。でも、「すごい大仏があるぞ。これは全国民を救うありがたい仏（象徴物）だぞ。ありがたいだろう。だから、お寺に年貢米をさしだすのは意味のあることだぞ」と、日本中にアピールする大芝居を打つと、農民たちも納得して「すごい大仏のお寺に作ったコメを年貢として納めなきゃいけない気分」になって、おコメをお寺に運んでいった（笑）。こうして象徴（シンボル）が実利を動かすわけです。

答えではなく問いが見つかる史跡探訪

外山　名古屋即物主義の私は、城跡や史跡など、みずから現場に行って知識を得るタイプです（笑）。ガイドさんの話が理解に役立ったり、自分の体験から想像をふくらませたり。磯田先生は、言葉で記述されたものと、現場とのちがいはなんだと思いますか？

磯田　現場に行ったとき、最初の印象が足元から崩れるのが快感になってもらいたいです。思いこんでいたものが、じつはちがう。現場に足を運ぶのは、その「差分」を見に行くためなんですよ。大げさに言えば、それこそが人生だとすら思います。

外山　答え合わせではないんですね。

磯田　現場に足を運ぶと、周辺にあるものがいっぱい目に入ってきます。たとえば、明智光秀（あけちみつひで）が十年住んだと思われる福井県の寺へ行くとする。その境内に、石碑が一本立っているのを発見しますよね。新田義貞（にったよしさだ）公墓所という碑です。それを見ると、明智は、新田義貞の墓の前で十年も暮らしたんだ、ということがわかる。すると、明智は新田の生きかたに影響を受けた可能性がありますよね。古文書にそうした記述が残ってなくても、彼らが接続されます。本を読むだけでは、つながらないモノやコトが、つながります。

外山　明智光秀といえば、私は京都にある彼の首塚に行ったことがあります。じつは、彼の首塚は各地にあって、ほんとうのところはわからないんです。諸説ある、という状態ですね。ただ、現場に行くと、ここかもしれない、いや、あっちかもしれない、と、自説に進歩があります。たったひとつの真実がわかる楽しみというよりも、いろんな仮説が自分のなかで生まれてくるのがおもしろいんですよね。

磯田　そうですか。

外山　私は明智の首塚のほど近くに和菓子屋さんがあることを、行って初めて知りました。ちなみに、そこで売っている光秀饅頭は絶品です。和菓子屋さんにお話を聞くと、「父や母に、ここは明智光秀さんが死んだところだから、しっかりお参りするんだよ、と言われてきた」と。現場でそう聞くと、急に実感が湧いて、ここに違いない！　と確信を抱いてしまったり。

墓と焼き鳥

磯田　武将の墓に行って、たとえば横に焼き鳥屋があって、焼き鳥のタレの香ばしい匂いがずっと蔓延しているとします。それだけで、ストーリーになりますよね。俳句のひとつでもひねれるわけですよ、人間の脳っていうのは。

外山　現実の体験だけでは、そうはならないですよね。その場所の過去のできごとが現代の時間に重なってこそ、おもしろく感じられるというか。

磯田　「その悲劇の武将の墓は焼き鳥の匂いに包まれていた」。これでもう、立派な書き出しになります。文学になります。現場に行くと、自分はどこを取り出して物事を考えて、どこを切り捨てていたかに気づく。その「差」こそが、また次の探求の足取りに向かわせるきっかけになるんですよね。

外山　いまはなかなか遠出がかないません。でも、今日お話を聞いて、インプットに励みたいとあらためて思いました！　今日はオンラインでの取材、ありがとうございました。磯田さんといつか、史跡で会えることを願っています。

磯田　こちらこそ、どうもありがとうございました。ではまた。

外山莉佳子（とやま・りかこ）
株式会社アングローバルに入社して七年目。MHL. のショップで店長を務める（記事掲載当時）。日々、テレビや雑誌で情報収集をしては、ひとり旅に出て、史跡や城跡といった歴史の〝現場〟で戦国時代を生き抜いた武将に思いをはせるのが至福の時。好きな言葉は「義理と人情」。

Anglobal Community Mart（アングローバル コミュニティ マート）

クロージングブランド「MARGARET HOWELL」や「MHL.」などを展開する株式会社TSI（旧社名：株式会社アングローバル）が運営するオウンドメディア。アングローバル社のCIであった「生活の補助線」をテーマに、読んでくださった方の日常生活がより興味深く、新鮮に感じられるきっかけとなる読みものを更新している。各ブランドからのお知らせやスタッフの興味を起点としたユニークなコンテンツをはじめ、「生活の補助線」というテーマを広げてくれる幅広いジャンルの方々へのインタビューやエッセイ記事も充実。
サイトURL：www.anglobalcommunitymart.com

（構成：大和佳克／kontakt）

図版出典一覧

●八九ページ　図版①
貝製仮面(複製品)　熊本県阿高貝塚出土　縄文中期　イタボガキ製　長さ一九・八センチメートル
『MASK―仮面の考古学―』(大阪府立弥生文化博物館図録43、大阪府立弥生文化博物館、二〇一〇年)より。

●八九ページ　図版②
最古の土面　徳島県矢野遺跡出土　縄文後期初頭　長さ一五・八センチメートル
『MASK―仮面の考古学―』(大阪府立弥生文化博物館図録43、大阪府立弥生文化博物館、二〇一〇年)より。

●九〇ページ　図版③
日本最北の土面　北海道千歳市ママチ遺跡出土　縄文晩期後葉　長さ一七・九センチメートル
『MASK―仮面の考古学―』(大阪府立弥生文化博物館図録43、大阪府立弥生文化博物館、二〇一〇年)より。

●九〇ページ　図版④
ヘルメット状の土面　岡山県上原遺跡　弥生前期　幅一七・六センチメートル
『MASK―仮面の考古学―』(大阪府立弥生文化博物館図録43、大阪府立弥生文化博物館、二〇一〇年)より。

●九二ページ　図版⑤
両手を挙げる鳥装のシャーマン(清水風遺跡第1次/奈良県立橿原考古学研究所)
『田原本の遺跡4　弥生の絵画～唐古・鍵遺跡と清水風遺跡の土器絵画』(田原本町教育委員会、二〇〇六年)より。

●九二ページ　図版⑥
再現された両手を挙げる鳥装のシャーマン模型（唐古・鍵考古学ミュージアム）
『田原本の遺跡4　弥生の絵画～唐古・鍵遺跡と清水風遺跡の土器絵画』（田原本町教育委員会、二〇〇六年）より。
●九三ページ　図版⑦
当麻寺の練供養
當麻寺護念院ホームページより。https://taimadera-gonenin.or.jp/renzo/nerikuyou/
●九五ページ　図版⑧
（左）重要文化財　能面　小面　「天下一河内」焼印　金春家伝来　江戸時代（十七世紀）
（右）面裏
東京国立博物館ホームページより。https://www.tnm.jp/modules/rblog/index.php/1/2014/12/12/
●九六ページ　図版⑨
靭猿
お豆腐狂言◈茂山千五郎家ホームページより。https://kyotokyogen.com/about/
●九六ページ　図版⑩
釣狐
お豆腐狂言◈茂山千五郎家ホームページより。https://kyotokyogen.com/guide/tsurigitsune/790_subphoto2/
●九六ページ　図版⑪
伽羅先代萩

一般社団法人 伝統歌舞伎保存会ホームページより（小学生のための歌舞伎体験教室）。http://www.kabuki.or.jp/fukyu/taiken/taiken2013.html

●九七ページ　図版⑫
歌川広重「東都名所　高輪廿六夜待遊興之図」（部分）
江戸東京博物館蔵。

●九七ページ　図版⑬
絵はがき「（関東大震災）復興祭当日の実況　広告祭の仮装行列」
著者蔵。

本書は二〇二〇年一月、小社より刊行された単行本を文庫化したものです。文庫化にあたり、新たに二つの対談を収録しています。

|著者| 磯田道史　1970年、岡山県生まれ。歴史家。国際日本文化研究センター教授。慶應義塾大学大学院文学研究科博士課程修了。『武士の家計簿』（新潮新書）で新潮ドキュメント賞、『天災から日本史を読みなおす』（中公新書）で日本エッセイスト・クラブ賞を受賞。『殿様の通信簿』（新潮文庫）、『近世大名家臣団の社会構造』（文春学藝ライブラリー）、『無私の日本人』（文春文庫）、『感染症の日本史』（文春新書）、『日本史の内幕』（中公新書）ほか著書多数。該博な知識と親しみやすい語り口で、テレビでも多くの視聴者に歴史の意味と愉しさを伝えている。

歴史とは靴である

磯田道史

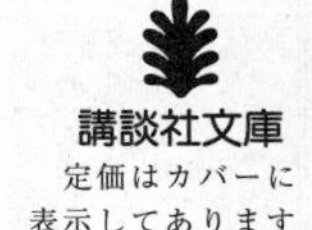

定価はカバーに
表示してあります

2022年4月15日第1刷発行

発行者――鈴木章一
発行所――株式会社　講談社
東京都文京区音羽2-12-21　〒112-8001
電話　出版（03）5395-3510
　　　販売（03）5395-5817
　　　業務（03）5395-3615

デザイン―菊地信義
本文データ制作―講談社デジタル製作
印刷―――株式会社広済堂ネクスト
製本―――株式会社国宝社

Printed in Japan

ISBN978-4-06-527619-8

講談社文庫刊行の辞

二十一世紀の到来を目睫に望みながら、われわれはいま、人類史上かつて例を見ない巨大な転換期をむかえようとしている。

世界も、日本も、激動の予兆に対する期待とおののきを内に蔵して、未知の時代に歩み入ろうとしている。このときにあたり、創業の人野間清治の「ナショナル・エデュケイター」への志を現代に甦らせようと意図して、われわれはここに古今の文芸作品はいうまでもなく、ひろく人文・社会・自然の諸科学から東西の名著を網羅する、新しい綜合文庫の発刊を決意した。

激動の転換期はまた断絶の時代である。われわれは戦後二十五年間の出版文化のありかたへの深い反省をこめて、この断絶の時代にあえて人間的な持続を求めようとする。いたずらに浮薄な商業主義のあだ花を追い求めることなく、長期にわたって良書に生命をあたえようとつとめるところにしか、今後の出版文化の真の繁栄はあり得ないと信じるからである。

同時にわれわれはこの綜合文庫の刊行を通じて、人文・社会・自然の諸科学が、結局人間の学にほかならないことを立証しようと願っている。かつて知識とは、「汝自身を知る」ことにつきていた。現代社会の瑣末な情報の氾濫のなかから、力強い知識の源泉を掘り起し、技術文明のただなかに、生きた人間の姿を復活させること。それこそわれわれの切なる希求である。

われわれは権威に盲従せず、俗流に媚びることなく、渾然一体となって日本の「草の根」をかたちづくる若く新しい世代の人々に、心をこめてこの新しい綜合文庫をおくり届けたい。それは知識の泉であるとともに感受性のふるさとであり、もっとも有機的に組織され、社会に開かれた万人のための大学をめざしている。大方の支援と協力を衷心より切望してやまない。

一九七一年七月

野間省一

大澤真幸
〈自由〉の条件
個人の自由な領域が拡大しているはずの現代社会で、閉塞感が高まるのはなぜか？他者の存在こそ〈自由〉の本来的な構成要因と説くことにより希望は見出される。

978-4-06-513750-5 おZ1

大澤真幸
〈世界史〉の哲学 1 古代篇
解説＝山本貴光
資本主義の根源を問う著者の破天荒な試みがついに文庫化開始！ 本巻では〈世界史〉におけるミステリー中のミステリー＝キリストの殺害が中心的な主題となる。

978-4-06-527683-9 おZ2

講談社文庫 目録

講談社文庫　目録

あさのあつこ 甲子園でエースしちゃいました〈さいとう市立さいとう高校野球部〉
あさのあつこ おれが先輩？〈さいとう市立さいとう高校野球部〉
阿部夏丸 泣けない魚たち
朝倉かすみ 肝、焼ける
朝倉かすみ 好かれようとしない
朝倉かすみ ともしびマーケット
朝倉かすみ 感応連鎖
朝倉かすみ たそがれどきに見つけたもの
朝比奈あすか 憂鬱なハスビーン
朝比奈あすか あの子が欲しい
天野作市 気高き昼寝
天野作市 みんなの旅行
青柳碧人 浜村渚の計算ノート
青柳碧人 浜村渚の計算ノート 2さつめ〈ふしぎの国の期末テスト〉
青柳碧人 浜村渚の計算ノート 3さつめ〈水色コンパスと恋する幾何学〉
青柳碧人 浜村渚の計算ノート 3と1/2さつめ〈ふえるま島の最終定理〉
青柳碧人 浜村渚の計算ノート 4さつめ〈方程式は歌声に乗って〉
青柳碧人 浜村渚の計算ノート 5さつめ〈鳴くよウグイス、平面上〉
青柳碧人 浜村渚の計算ノート 6さつめ〈パピルスよ、永遠に〉
青柳碧人 浜村渚の計算ノート 7さつめ〈悪魔とポタージュスープ〉
青柳碧人 浜村渚の計算ノート 8さつめ〈虚数じかけの夏みかん〉
青柳碧人 浜村渚の計算ノート 8と2分の1さつめ〈つるかめ家の一族〉
青柳碧人 浜村渚の計算ノート 9さつめ〈恋人たちの必勝法〉
青柳碧人 霊視刑事夕雨子1〈誰かがそこにいる〉
青柳碧人 霊視刑事夕雨子2〈雨空の鎮魂歌〉
朝井まかて 花競べ〈向嶋なずな屋繁盛記〉
朝井まかて ちゃんちゃら
朝井まかて すかたん
朝井まかて ぬけまいる
朝井まかて 恋歌
朝井まかて 阿蘭陀西鶴
朝井まかて 藪医 ふらここ堂
朝井まかて 福袋
朝井まかて 草々不一
歩りえこ ブラを捨て旅に出よう〈貧乏乙女の"世界一周"旅行記〉
安藤祐介 営業零課接待班
安藤祐介 被取締役新入社員
安藤祐介 おい！山田〈大翔製菓広報宣伝部〉
安藤祐介 宝くじが当たったら
安藤祐介 一〇〇〇ヘクトパスカル
安藤祐介 テノヒラ幕府株式会社
安藤祐介 本のエンドロール
青木理 絞首刑
麻見和史 石の繭〈警視庁殺人分析班〉
麻見和史 蟻の階段〈警視庁殺人分析班〉
麻見和史 水晶の鼓動〈警視庁殺人分析班〉
麻見和史 虚空の糸〈警視庁殺人分析班〉
麻見和史 聖者の凶数〈警視庁殺人分析班〉
麻見和史 女神の骨格〈警視庁殺人分析班〉
麻見和史 蝶の力学〈警視庁殺人分析班〉
麻見和史 雨色の仔羊〈警視庁殺人分析班〉
麻見和史 奈落の偶像〈警視庁殺人分析班〉
麻見和史 鷹の砦〈警視庁殺人分析班〉
麻見和史 凪の残響〈警視庁殺人分析班〉
麻見和史 天空の鏡〈警視庁殺人分析班〉
麻見和史 深紅の断片〈警防課救命チーム〉
麻見和史 邪神の天秤〈警視庁公安分析班〉

五木寛之 百寺巡礼 第二巻 北陸
五木寛之 百寺巡礼 第三巻 京都Ⅰ
五木寛之 百寺巡礼 第四巻 滋賀・東海
五木寛之 百寺巡礼 第五巻 関東・信州
五木寛之 百寺巡礼 第六巻 関西
五木寛之 百寺巡礼 第七巻 東北
五木寛之 百寺巡礼 第八巻 山陰・山陽
五木寛之 百寺巡礼 第九巻 京都Ⅱ
五木寛之 百寺巡礼 第十巻 四国・九州
五木寛之 海外版 百寺巡礼 インド1
五木寛之 海外版 百寺巡礼 インド2
五木寛之 海外版 百寺巡礼 朝鮮半島
五木寛之 海外版 百寺巡礼 中国
五木寛之 海外版 百寺巡礼 ブータン
五木寛之 海外版 百寺巡礼 日本・アメリカ
五木寛之 青春の門 第七部 挑戦篇
五木寛之 青春の門 第八部 風雲篇
五木寛之 青春の門 第九部 漂流篇
五木寛之 親鸞 青春篇 (上)(下)

五木寛之 親鸞 激動篇 (上)(下)
五木寛之 親鸞 完結篇 (上)(下)
五木寛之 五木寛之の金沢さんぽ
五木寛之 海を見ていたジョニー 新装版
井上ひさし モッキンポット師の後始末
井上ひさし ナ イ ン
井上ひさし 四千万歩の男 全五冊
井上ひさし 四千万歩の男 忠敬の生き方
井上ひさし 司馬遼太郎 新装版 国家・宗教・日本人
池波正太郎 私 の 歳 月
池波正太郎 よい匂いのする一夜
池波正太郎 梅安料理ごよみ
池波正太郎 わが家の夕めし
池波正太郎 新装版 緑のオリンピア
池波正太郎 新装版 殺しの四人〈仕掛人・藤枝梅安(一)〉
池波正太郎 新装版 梅安蟻地獄〈仕掛人・藤枝梅安(二)〉
池波正太郎 新装版 梅安最合傘〈仕掛人・藤枝梅安(三)〉
池波正太郎 新装版 梅安針供養〈仕掛人・藤枝梅安(四)〉
池波正太郎 新装版 梅安乱れ雲〈仕掛人・藤枝梅安(五)〉

池波正太郎 新装版 梅安影法師〈仕掛人・藤枝梅安(六)〉
池波正太郎 新装版 梅安冬時雨〈仕掛人・藤枝梅安(七)〉
池波正太郎 新装版 忍びの女 (上)(下)
池波正太郎 新装版 殺 し の 掟
池波正太郎 新装版 抜討ち半九郎
池波正太郎 新装版 娼 婦 の 眼
池波正太郎 近藤勇白書〈レジェンド歴史時代小説〉(上)(下)
井上 靖 楊 貴 妃 伝
石牟礼道子 新装版 苦海浄土（くがいじょうど）〈わが水俣病〉
いわさきちひろ ちひろのことば
いわさきちひろ 松本 猛 いわさきちひろの絵と心
いわさきちひろ 絵本美術館編 ちひろ・子どもの情景〈文庫ギャラリー〉
いわさきちひろ 絵本美術館編 ちひろ・紫のメッセージ〈文庫ギャラリー〉
いわさきちひろ 絵本美術館編 ちひろの花ことば〈文庫ギャラリー〉
いわさきちひろ 絵本美術館編 ちひろのアンデルセン〈文庫ギャラリー〉
いわさきちひろ 絵本美術館編 ちひろ・平和への願い〈文庫ギャラリー〉
石野径一郎 新装版 ひめゆりの塔
今西錦司 生 物 の 世 界
井沢元彦 義 経 幻 殺 録